방구석에서 시작한 영어정복:

영포자에서 미국명문대까지

방구석에서 시작한 영어정복: 영포자에서 미국명문대까지

발 행 | 2024년 4월 21일

저 자 | EvolveMaster

펴낸이 | 한건희

펴낸곳 | 주식회사 부크크

출판사등록 | 2014.07.15(제2014-16호)

주 소 | 서울특별시 금천구 가산디지털1로 119 SK트윈타워 A동 305호

전 화 | 1670-8316

이메일 | info@bookk.co.kr

ISBN | 979-11-410-8194-2

www.bookk.co.kr

방구석에서 시작한 영어정복:
영포자에서 미국명문대까지

EvolveMaster 지음

목   차

Prologue

"네가 영어를 그렇게 잘했던가?"

직장인 영어회화강사로 바쁜 나날을 보낼 적, 우연히 고등학교 동창을 만났다. 그 친구는 고등학교 시절, 외국에서 어릴 때 살다 와서 곧잘 영어를 잘했던 것으로 기억한다. 그랬던 친구가 내가 영어회화 강사로 일하는 곳에 영어 인터뷰 수업을 받고자 왔던 것이었고, 나는 수업을 마치고 쉬는 시간에 잠시 나왔다가 우연히 마주치게 된 것이었다. 어릴 적에는 영어도 못 했던 동창이 선생 신분으로 자신이 수업 듣는 곳의 학원강사가 되었으니, 어지간히 자존심이 상했나보다.

"아니, 옛날에 영어 못했지. 미안, 수업이 있어서 가야겠다."

오랜만에 동창을 만난 반가움의 표시보다는 질투 섞인 그 친구의 첫 마디에 나는 쿨하게 영어를 못했음을 인정하고 홀연히 그 자리를 떠났다.

그랬다. 나는 영어는 좋아했지만, 영어성적은 항상 하위권에서 맴돌았던, 한 마디로 영포자였다. 그때 그 친구가 어떤 의도로 얘기했는지 충분히 이해가 갈 만하다.

영포자의 시절을 보낸 내가 좀 더 넓은 세계로 나가고 싶다는 마음 하나로 무작정 홀로 유학을 떠나게 되었고, 그 과정에서 여러 시행착오도 많고 좌절도 많았지만 결국 그 무수한 허들을 넘고 넘어,

지금은 영어와 프랑스어, 3 개 국어를 능수능란하게 하는 소위 언어능력자가 되었다. 이 모든 것이 3 년 동안의 유학 생활에서 이뤄진 것이라고 하면 믿을 수 있겠는가? 물론 그만큼 치열하게 몰입하며 유학 생활을 하였기에 가능했던 것이라고 본다. 하지만 지금도 내게는 이 시절이 내 인생의 터닝 포인트였다.

많은 사람들이 유학생이라고 하면, 그저 돈 많은 부모 백으로 쉽게 유학을 가서 놀다가 온다고 오해하기 십상이다. 실제 그런 사람들도 있다. 하지만 꼭 돈이 많아야만 유학을 갈 수 있다는 것은 편견이다. 나는 유학비용을 줄이기 최대한 연구하며 그 결과 가성비 있는 유학 생활을 마칠 수 있었다.

또한, 유학생활을 제대로 알아보고 도전한다면 오히려 국내보다 무궁무진한 기회를 맛볼 수 있다. 실제로 나는

3 년간의 유학 생활에서 실보다는 득이 컸던 하루 하루를 보냈다고 자부한다. 미국으로 유학 가서 프랑스로 교환학생까지 경험하고 온 사람은 그다지 많지 않다. 솔직히 미국으로 유학 갈 결심을 하였을 당시만 해도 나조차 전혀 생각치 못했던 행운들이었다.

하여 본 책은 저자의 지난 유학 시절 경험을 바탕으로 어떻게 미국대학으로 편입할 수 있었고, 교환학생을 다녀왔으며, 장학금을 탈 수 있었는지에 대한 노하우와 3 년만에 영어, 프랑스어를 현지인처럼 잘할 수 있게 된 과정을 담아 평범한 사람도 충분히 기회를 만들어 허물에서 탈피한 나비가 될 수 있다는 것을 설파하고 함께 그 가치를 나누고자 함에 목적이 있다.

이 책을 읽으면서 많은 독자들이 어렵다고 생각하는 것이 꼭 어려운 것이 아님을, 일단 어려워도 시작해보면 처음은 힘들어도 계속 나아가다 보면 결국은 성취할 수 있음을 함께 공감하고 무엇이든 시작했으면 하는 바램이다.

본 책을 집필하는 동안, 저자 또한 그 당시 수많은 추억과 감정들을 마주하며 다시금 본인을 재정비할 수 있었던 소중한 시간이었다. 오랫동안 품어왔던 꿈을 세상에 드러내며, 무탈하게 이 특별한 여정을 끝마친 데에 대해 감사를 표한다.

특히 나의 인생 터닝포인트의 한 자락을 같이 장식해주고, 항상 흔들릴 때마다 웃으며 "잘될 거야" 아낌없는 응원을 보내주었던, 하늘에 계신 아빠께 세상에 처음 나온 이 책을 바치고자 한다. 돌이켜보면, 지금까지 나의 무대뽕 도전 정신과 용기는 어릴 적부터 자유로운 환경을 선사해주고 응원해준 부모님이 있었기에 가능했던 것이 아닌가 싶다. 졸업식날, 처음으로 미국에 와서 캠퍼스를 둘러보며 좋아했던 아빠의 모습이 눈에 선하다.

2024 년 4 월

EvolveMaster

PART 1

영어 좋아하는 영포자, 유학 결심하다

영어 좋아했지만,
실력은 꽝 고교시절

"Downtown의 뜻이 뭘까? 맞아, 도심 또는 시내라는 뜻이야. 근데 다른 반에서 한 학생이 이걸 뭐라고 한 줄 알아? 아랫마을이라고 하지 뭐야. 하하하"

고등학교 시절, 우리 반 영어 선생님은 참 이쁘고 영어발음도 좋으셨다. 그래서 나름 동경의 대상이었는데, 선생님의 한 마디는 어린 나의 자존심에 생채기를 내는 데 충분했다. Downtown을 아랫마을이라고 얘기했던 다른 반의 학생은 다름 아닌 나였기 때문이다.

아마도 선생님께서는 내가 이 반 학생이라는 것을 까먹고 수업 들어가는 반마다 얘기하시니 헷갈려 또 얘기하신 듯싶다. 그만큼 나의 영어 실력은 그다지 좋은 것이 아니었다.

영어를 좋아했던 영포자. 이것만큼 좌절스러운 것이 있을까? 영어를 좋아하지만, 좋아하는 것을 잘하지 못한다는 좌절스런 그 때의 그 느낌은 오래도록 마음 속에 남아있었고, 지금도 가끔씩 드문드문 생각이 난다. 하지만 이러한 좌절감, 열등감이 나중에는 유학 생활을 이끄는 견인차 역할이 되어주었고, 나는 누구보다도 빠르게 언어 실력이 늘어갔다는 것을 인정하지 않을 수 없다.

영어는 좋아하고 발음은 항상 원어민처럼 하고 싶어했던, 그러나 영어성적은 꽝이었던 영포자 시절의 고등학교 생활은 그렇게 흘러갔다. 지금은 알지만 그때는 몰랐다. 내가 영포자가 되었던 것은 그 당시 학교 시스템의 문제도 한 몫 했다는 것을...

당시 영어를 원어민처럼 하려고 따라하면, 반 친구들은 "입에 버터 발랐냐" "왜 이렇게 혀를 꽈배기처럼 꼬냐"하며 쫑크 주기 일쑤였고, 괜스레 움츠러드는 마음에 나는 원어민 발음보다는 콩글리시 발음으로 영어 공부를 하기도 하였다.

나중 챕터에서 다루겠지만, 발음은 영어의 모든 것이라 할 수 있다. 혼자 튄다는 괜한 마음에, peer pressure에 눌려 한동안 콩글리시 발음으로 했던 그 시간은 상당히 무의미했던 것 같다.

도피유학 NO!
정정당당하게 갈래

"딸! 유학 가볼래? 원래부터 미국가고 싶어했잖아"

아마도 고등학교 2학년 때이었을 것이다. 엄마가 어느 날 갑자기 유학 제안을 하셨고, 나는 순간 아무 생각이 안 나고 멍해졌다.

사실 나는 어렸을 때부터 미국 시트콤을 보면서 미국의 자유로운 학교 분위기와 그 느낌을 막연히 동경하며 자랐고, 한 번쯤은 꼭 미국에 가서 살고 싶다는 오랜 소망이 있었다. 초등학교 때부터 부모님께 외국에 가서 살고 싶다고 어필을 많이 했고, 그때마다 엄마는 항상 이런 말씀을 하셨다.

"그래? 그럼 미국 가면 밥도 짓고, 빨래도 하고, 모든 것을 너 혼자 해야 하는데 그럴 수 있겠니?"

엄마의 이 한 마디는 항상 미국 가서 살자고 떼쓰는 어린 나를 진정시키는 강력한 무기였다. 초등학교, 중학교까지 외국 가서 살자고 외칠 때마다 엄마는 같은 말로 나에게 되물으셨다.

밥 짓고, 빨래하는 게 뭔 대수라고. 지금은 그렇게 쉽게 말할 수 있지만, 그 당시 어린 나에게 있어서는 중대한 문제였고 현실의 벽이었다.

그렇게 위워하던 엄마가 갑자기 조기유학을 제안했던 것이다. 아마도 엄마 나름대로 딸의 성적이 안 좋아 이대로는 좋은 대학을 가지 못할 것 같다는 걱정에 이것저것 알아보다가 유학 카드를 꺼내신 듯싶다.

"아니, 엄마. 나는 대학 들어가고 그 다음에나 유학 갈래."

순간 가고 싶은 유혹에 흔들렸지만, 나는 엄마의 제안을 거절했다. 고등학생 당시에는 도피 유학이 사회적 이슈로 나올 만큼 상당히 성행하였고, 나 또한 그런 사람으로 보여지는 것이 상당히 수치스러울 것 같다는 마음이 지배하던 때였다.

원래부터 가고 싶었다 하더라도 당시의 상황은 어떻게 해도 도피 유학으로 보일 수밖에 없는 상황이었고, 꼭 남에게 보이기가 아니더라도 나에게 좀 더 떳떳하기 위해서 지금도 나는 그때의 그 선택을 잘했다고 생각한다.

아마도 조기유학을 갔다면, 지금의 내가 좀 더 빨리 이뤄지는 것이 아니라 그러한 기회조차 아예 사라졌을 것이라 생각한다. 실제로도 유학 생활에서 그런 친구들을 주변에서 너무도 많이 봐왔다.

내가 이때다! 하고 가는 타이밍은 각자 다르게 있는 것 같다. 그 당시 나의 유학 타이밍은 아니었기 때문에 그 당시의 나도, 지금의 나도 후회하지 않는다.

대학교 1년차,
무작정 미국으로 떠나다

    나름 멋있게 객기를 부렸지만, 원하는 대학을 가기에는 턱없이 성적이 부족했고 결국 전공에 맞춰 대학을 결정하여 진학했다. 성적에 맞춰 간 학교이기에 마음에 들었을 리 만무하지만, 어문학 전공 공부는 내게 재미 그 자체였다.

    그렇게 좋아하는 영어, 프랑스어를 배우고, 발음도 현지인 발음에 맞춰 수업하니 고등학교 때 그렇게 싫었던 공부 의욕이 샘솟았다. 교수님께 찾아가서 물어보는 것은 일상이고 공강 시간에는 항상 도서관에 가서 공부하곤 하였다. 덕분에 여초 현상의 전공과에서도 장학금을 타며 우수성적을 유지할 수 있었다.

    전공 공부에 대한 재미도 있었지만, 좀 더 열심히 했던 것은 막연하게 생각했던 유학을 위해 좋은 성적을 유지하기 위함이었다. 그렇다. 나는 그렇게 다 계획이 있었다.

    대학 신입생 때, 동아리활동을 하며 둘러앉아 캠프파이어를 하는 로망은 다 집어치우고 일단 공부에 불사르는 소위 공부벌레가 되어있었다. 영어 수업을 듣다 보면 어려운

작문과제들이 매번 있었는데, 그때마다 외국에서 살다 온 절친에게 영어 첨삭을 부탁하였다.

나도 '저 친구처럼 영어 잘하고 싶다'는 마음과 '영어로 자유롭게 얘기하고 싶다'는 마음이 점점 커지면서 결국 미국 어학연수라도 가야겠다는 생각이 들었다. 이제는 부모님 없이도 밥, 빨래 다 할 수 있을 것 같았다.

생각이 어느 정도 정리되자 곧바로 나는 유학원을 찾아가서 상담하였고, 미국 지역 내 어학연수 프로그램을 신청하기로 마음먹었다. 유학원 상담직원이 뉴욕을 권장해주었지만, 거기에는 친척이 살고 있어서 일부러 정반대에 있는 샌디애고를 선택했다. 철저히 한국말을 안 쓰고 누구의 도움도 없이 홀로 살아보겠다는 결연한 결심이기도 하였다.

그렇게 대학교 1년 차, 휴학계를 내고 미국 서부로 홀로 떠나게 되었다. 영어도 잘 못하는 나였지만, 일단 부딪혀본다는 마음으로 떠나게 되었다. 계란으로 바위치기. 설렘과 긴장의 첫 순간이었다.

어학연수 6개월 귀 뚫리고
3분 원어민 된 사연

처음 미국 땅을 밟았을 때의 느낌은 이상했다. 복잡미묘한 감정이랄까. 이제부터 시작할 타지에서의 생활이 피부로 느껴지는 듯 했다. 간단히 물어보는 영어회화조차 어려웠던 나에게는 설렘보다는 긴장이 좀 더 있던 것 같다. 지금도 생각난다. 홈스테이 첫날, 한국 집에 있는 가족들 꿈을 꾸었다. 말로만 듣던 Homesick 이란 게 이런 건가?

그런 걱정도 잠시, 어학연수원 수업을 들으면서 나는 반 친구들과 곧 친해질 수 있었고, 떠듬떠듬하며 그 친구들과 소통하며 점차 영어회화 실력을 쌓아갈 수 있었다. 사람들과 얘기하기를 좋아하는 나에게 있어서는 너무도 좋은 기회였고 놀이였다.

한 달이 지날 즈음, 브라질에서 온 친구가 나를 보더니 갑자기 엄지척을 내보이며 "your English is very improved." 치켜세웠다. 처음에는 그냥 친분이 있으니까 그렇게 말하나보다 하며 가볍게 흘려 들었다. 그도 그럴 것이 당시의 내가 느낄 때는 영어가 그렇게 improve 했다는 생각이 전혀 들지 않았기 때문이다. 아직도 제자리 걸음이다 생각할 때였기 때문이다.

반 친구들과 대화 중에 내 영어가 부쩍 늘었다는 칭찬들을 하나둘씩 얘기해주기 시작하니, '내가 뭘 했는데 영어가 늘었지?' 의아해하면서도 점차 영어에 대한 자신감이 조금씩 생기기 시작했다.

돌이켜 생각해보면, 내가 단기간에 나도 모르는 사이에 영어가 늘었던 것은 가장 큰 것은 영어 발음이랑 소통력이었다고 본다. 어릴 적부터 영어 발음에 집착했던 나에게 있어 현지인 발음을 앵무새처럼 따라하는 것은 하나의 집착이자 탐구 놀이였다. 발음을 중시하다 보니 나중에 현지인들이 하는 말들이 좀 더 빠르게 들려왔고, 나 또한 발음이 그들과 비슷해지면서 내가 하는 말을 현지인들도 좀 더 잘 알아듣게 되었다.

어학원에 갈 때, 가끔씩 타는 버스 운전기사도 – 그 운전기사는 동양인이었는데 발음을 보아하니 아마도 이민자 2세인 듯 싶다 – 내가 버스에서 내릴 때 대뜸 "Your English is good." 하며 추켜세웠다. 당시 나는 Thank you 한 마디만 했을 뿐인데 뭘 보고 그러는 거지? 싶었다.

지금 생각해보면 그 운전기사는 나의 th발음을 듣고는 그렇게 말한 듯 싶다. 사실 th발음은 한국인이나 일본인에게는 발음체계가 없기 때문에 어렵다. 흔히들 말하는 번데기 발음, 돼지꼬리 발음을 혼동해서 쓰는 것도 많기에 아마도 나의 발음을 듣고는 영어를 잘한다고 생각했던 것 같다. 그만큼 발음은 영어의 많은 부분을 차지하는 가성비적

요소이다.

　사실 th발음을 제대로 하기까지 나는 무한반복을 하였고 길가에서 사람들에게 그날 배운 단어 문장을 시도하며 연습하였다. 처음에는 잘 못 알아듣던 사람들도 점차 내가 하는 말을 이해하고 알려주곤 하였다. 학교 밖의 모든 풍경과 상황들은 나의 연습거리로 천지였다.

　그동안 홈스테이도 몇 번 바뀌었다. 첫 홈스테이에서 말 더듬거리면서 조금씩 나의 의견을 피력했던 모습에서 점차 다른 홈스테이를 옮기며 이것저것 얘기도 잘 나누며 소통을 해갔다, 학교에서도 토론에 적극적으로 참여하였다. 그러는 사이, 점차 나의 영어 실력은 몰라보게 발전해갔고 표현도 풍부해져 갔다.

　내가 월반한 클래스에 한국외대 영문학과 학생이 왔던 것도 나의 영어 실력에 한 몫 했었다. 그 친구는 이미 영어를 어느 정도 잘하는 상태에서 미국에 와서 처음 소개를 할 때부터 남달랐다. '나는 처음에 저렇게 잘하지 못했는데' 하는 부러움과 이전부터 담아두었던 열등감은 이내 승부욕으로 자리하게 되었던 것 같다. '내가 저 한국외대 영문학과 친구보다 더 잘할 거야' 하는 마음은 수업에서도 토론 때에도 더 의욕적으로 돌진하였다.

　점차 영어실력이 늘어갈 때 즈음, 나는 대학교부설 어학원으로 옮겼다. 그곳은 이전에 있던 사설어학원 수준보다 한층 더 높았다. 대학교 부설이라 그런지 다른 수준의 영어 실력을 갖춘 학생들로 모여 있었다. 또 하나의 허들이었다.

24

승부욕이 많았던 나에게는 올라가야 할 대상이었다. 덕분에 영어 실력은 일취월장 하였고 6개월이 되어가던 즈음 갑자기 귀가 뚫리는 현상을 경험하게 된다.

어느 순간, 현지인들이 하는 말들이 그대로 내 귀로 들어와 이해가 그냥 되는 그런 기현상을 받게 되었다. 단어가 무슨 말인지 몰라도 그냥 그 문장 통째가 이해가 되는 그런 기현상 말이다.

발음도 원어민처럼 비스무리 하게 되는 터라, 처음 보는 현지인과 애기를 나누면 보통 사람들에게 이런 질문을 받게 된다.

"so what part of region were you come from?"
"what is your origin?"

어학연수생에게 출신지를 묻는 것은 상당히 자랑거리이다. 원어민으로 보였기에 위와 같은 질문을 하는 것이다. 그럴 때면 기분 좋게 "저는 100% 순수 토종 한국인입니다"라며 답해주곤 한다. 물론 오래 대화하다 보면 결국 외국인인 것이 뽀록나기 십상이지만 말이다.

그래도 3분 원어민이라도 어디인가. 그런 말을 들을 때면 온 세상을 가진 듯한 기쁨을 만끽하곤 하였다.

> 영포자의 영어정복을 위한 Kick One
>
> **발음이 영어의 절반이다.** 처음에는 문법 공부보다 발음 연습에 시간투자 하세요.
>
> 문법은 나중에 자연히 따라옵니다.

사건 x 사명 = 결심

나는 어학연수 시절, 단기간에도 불구하고 같이 왔던 다른 한국 학생들과는 달리, 이상하게 유독 사건들이 많았다.

처음 미국에 도착해서 들어간 홈스테이에서는 아저씨가 성미가 고약하여 당시 영어 초보인 내게 욕설을 가르치고 내가 뭔가 의견을 피력하고자 하려면 잭나이프를 보이며 입 다물게 하려 하였다. 결국 사건이 크게 터지면서 한바탕 학교가 시끄러워졌고 나는 많이 놀란 상태와 모멸감, 분노에 사로잡혔었다.

당시 제일 영어를 잘하던 언니가 같이 가서 내 상황을 말하며 도와주려고 했는데, 학교의 반응은 너무도 황당했다. 아마도 문화차이가 있어서 그런 것 같다며 자꾸 홈스테이 쪽을 옹호하려는 듯한 제스처를 취했다. 다른 말들은 잘 안 들렸지만 '문화차이'라는 말은 너무도 귀에 박혀, 순간 분노가 치미면서 갑자기 영어로 속사포로 쏟아내었다.

나도 '이렇게 영어로 막 쏟아낼 수 있었나?' 속으로 진심 놀랬다. 있는 단어, 없는 단어 써가며 막 영어를 발명하는 듯한 느낌이었다. 그때부터 나의 영어 실력이 쑥쑥 크기 시작한 것 같다. 역시 사람은 절박하고 필요하면 어떻게든 초인적인 힘을 발휘하는 것 같다.

Necessity is the Mother of Invention. (필요는 발명의 어머니)

결국 나는 홈스테이를 다른 곳으로 옮길 수 있게 되었고, 들리는 바에 의하면 내가 나간 홈스테이에 그 이후로 들어왔다가 나간 학생들이 10명이 넘었다고 한다.

대학원부설 어학원으로 가면서 나는 기숙사 생활을 하다 홈스테이로 다시 빠지게 되었고, 당시 홈스테이 엄마는 유태인계 교장 선생님이었다. 사람들과 소통하고 토론하는 것을 좋아하던 로리 아줌마는 곧잘 나를 데리고 해변산책도 하고, 다른 사람들을 초대할 때 같이 참여하게 하여 많은 대화를 하게끔 이끌어주곤 하셨다. 덕분에 평화로운 일상의 연속이었다.

하루는 친하게 지내던 언니가 내게 자기가 사는 곳이랑 바꾸자고 제안을 해왔다. 언니가 사는 곳은 원룸 방으로 거기에서 동갑내기 친구랑 같이 살았는데, 집주인 여자가 고약하다고 매번 하소연했던 터였다.

지금 생각해보면 오지랖이었지만, 당시 정의감에 불타오른 나는 고통받는 언니의 부탁을 차마 거절할 수 없어 집을 바꿔주기로 하였다. 마침 동갑내기 친구도 살고 나도 홈스테이 말고 원룸에서 친구랑 같이 사는 것도 나쁘지 않겠다는 생각도 들었다.

이미 여러 일을 겪어 단단해진 나에게는 성미 고약한 집주인은 문제가 안 된다는 이상한 자신감에 차 있었다.

집을 바꾸고 집주인인 영국 여자와도 그럭저럭 잘 지내며 동갑내기 친구인 룸메이트와도 즐겁게 지내며 하루하루 지나갔다. 그곳에는 또 한 명, 미국 대학생 하우스메이트가 살고 있었는데 예쁘장하게 인형같이 생겼다. 우리는 마치 시어머니 욕하듯 집주인 영국여자를 욕하면서 서로 결속이 단단해져 갔다.

학교 프로그램도 다 끝나가고 우리도 슬슬 한국으로 돌아가려고 할 즈음, 사건이 터졌다. 결국 망할 그 영국 여자가 security deposit을 안 돌려주고 자기가 먹으려고 갖은 술수를 부리기 시작한 것이다. 룸메이트는 1주 먼저 일찍 귀국하게 되어 나는 떠나는 친구를 안심시키고 배웅하고는 집으로 들어왔다.

보통 deposit은 렌트한 곳의 물건이 손상을 입었거나 피해가 생기면 피해복구액으로 사용하고 나머지 금액만 임차인에게 돌려준다. 영국여자는 이러한 점을 이용해서 전구가 나가서 스탠드 램프가 망가졌다는 허무맹랑한 소리를 이어갔다. 하지만 아니었다.

마지막으로 나가기 전 확인을 했을 때, 집주인의 말과는 달리 망가졌다는 램프는 불만 잘 들어오고 있었다. 문제없음을 확인하고 당일 저녁에 deposit을 받으러 가서 전액을 요구했을 때, 영국 여자는 무슨 말이냐며 시치미를 떼기 시작했다. 우리가 아침에 다 확인했다고 얘기했지만 요지부동이었다.

다시 가서 살펴보니 아니었다. 그 사이에 집주인이 다 닳은 램프를 방에 들어와서 바꿔 치기 한 듯 싶다. 억울한 마음에 같이 확인했던 미국 housemate를 불러보았지만, 아무런 대답도 없었다. 그냥 당해버린 것이다. 결국 100불을 빼앗긴 상태에서 나머지만 돌려받을 수 있게 되었다.

지금 생각해보면 그냥 전구만 다시 사서 갖다 끼워 넣으면 그만인 것을, 그때의 나는 여전히 세상 물정 모르는 순진한 아이였던 것이다. 그렇게 2달러짜리 전구 값은 100불로 책임지게 되었다. 알면서도 그냥 눈 뜨고 코 베는 격으로 당하는 내가 너무도 한심하고 참담했다.

그 날 이후로 나는 한 가지 결심을 했다. 다시는 다른 사람들이 나처럼 타국에 와서 억울한 일을 당하는 일이 없게 도와주고 싶다는 사명감이 솟구치게 되었다. 그러려면 우선 언어의 장벽을 깨야 한다. 지금보다 더 잘해야겠다는 생각이 들었다. 결국 미국 유학으로 다시 오기로 결심을 하였다.

영포자의 영어정복을 위한 Kick Two

영어 왜(Why) 잘하고 싶은지 이유/목적 써보기.
시험, 취업을 잘하기 위해서라든가, 남들에게 인정받기
위해서라든가 어떤 이유든 상관없습니다.

"강력한 목적은 강한 동기부여를 일으키고, 결심은 행동으로
연결됩니다."

PART 2

평범한 대학생,
미국명문대 편입 후
교환학생까지

유학원 도움 없이
나 홀로 편입준비

다시 한국 대학으로 복학하고 일상생활로 돌아왔고 나는 차차 미국 유학을 위한 방법을 하나씩 알아보기 시작하였다. 영어 수업을 들었을 때 친하게 지냈던 교수님께 찾아가서 진지하게 앞으로의 진로에 대해 말씀을 드리면서 미국 유학에 대한 조언을 얻고자 하였다.

지금도 여전히 그렇지만, 예전에는 대부분의 학생들이 교수님께 유학에 대한 상담이나 조언을 얻기 상당히 조심스러워 하였다. 나도 그 당시 무슨 깡이었는지 모르겠지만, 우선 미국 유학에 대한 열망이 강했기에 교수님을 찾아가 여쭤보고 했던 것 같다. 교수님이 미국에 오래 살기도 했기에 괜찮겠지 하는 마음도 있었던 것 같다.

다행히도 교수님은 싫은 기색 없이 나의 애기를 차분히 들어주고 내가 고민하는 진로와 유학에 대해 명쾌하게 답해 주셨다. 나의 꿈이 이뤄가는 길에는 반드시 언어장벽을 허무는 것이 중요하다면서, 대학교육 시스템이 국내보다는 미국이 훨씬 낫기에, 가능하다면 유학을 가라고 추천해 주셨다. 이로써 유학에 대한 고민은 얼추 해소되었다.

이제부터는 '어떻게' 유학을 가느냐 였다.

미국대학을 진학하는데 있어 다양한 방법이 있는데, 크게는 우리나라 수능처럼 SAT를 봐서 1학년부터 입학하는 경우와 어학연수로 들어와서 레벨테스트를 거쳐 일정 수준에 도달하면 대학에 입학시켜주는 조건부 입학, 그리고 편입하는 경우 이렇게 세 가지로 나뉜다.

많은 유학생이 첫 번째 아님 두 번째를 선택한다. 가끔 세 번째 선택하는 유학생들도 있지만, 이 경우는 어학연수로 와서 community college에 입학 후 2년을 마친 뒤 다른 대학 3학년으로 편입하는 경우이다. 한국에서 바로 미국으로 편입을 하는 경우는 극히 드물었다.

나는 세 번째 방법으로 미국대학에 진학하였는데, 첫째로는 다시 처음부터 다녀 국내 대학에서의 생활을 낭비하고 싶지 않았고, 둘째로는 조금이라도 빨리 졸업을 앞당겨 학비 부담을 줄이고 싶었다.

다행히 성적을 좋게 유지한 덕분에 나는 편입이 가능했었고, 유학원의 힘을 빌리는 대신 나 혼자서 검색하며 알아보기 시작했다. 밤새워 미국대학 사이트를 하나하나 찾아다니며 admission 조건에 맞는 서류들을 준비하였고, 에세이를 정성 들여 왜 내가 미국대학을 진학하고자 하는지에 대한 이유와 목적에 대해 조목조목 써 내려갔다.

급하게 편입을 결정하고 준비를 하다 보니 3~4개월밖에 시간이 없었고, 토플 점수가 필요했기에 따로 공부할 새도 없이 토플을 치게 되었다. 고득점의 토플점수가 나왔다면 상당히 드라마틱했을 텐데 이변은 없었고, 결국 토플 점수에 맞춰 학교들을 찾아보게 되었다.

대학원 진학을 염두하고 있었기에, 나에게 아주 좋은 학부에 목을 매다는 것은 의미가 없었다. 일단은 학비 싸고, 적당히 좋은 학교면 만족했다. 그래서 동·서부보다 상대적으로 훨씬 저렴한 중부대학 중에서 찾아 하나하나 지원하였다. 4학기를 마치고 바로 편입하고자 시도했던 내게는 모든 것이 급박하게 돌아갔다. 아니면 1년이 더 늦춰진다는 불안감이 있었지만 아니면 말고라는 생각도 있던 것 같다.

원서 지원하고 한 달 후, 5월쯤 하나씩 레터가 도착하기 시작했다. 모두 앞 문구가 "We are sorry"로 시작하는 편지들이었다. '그렇지, 그렇게 급하게 넣었는데 될 리가 없지' 마음을 비우려던 찰나에, 인디애나 주립대에서 합격통지서가 날아왔다. 조건부 입학 (Conditional Admission)이었다. 학업을 따라가기에는 영어가 많이 떨어질 수 있다는 생각에 좀 더 실력을 쌓고 들어가도 괜찮겠다 애써 위로하였다.

붙은 곳은 여기 하나밖에 없으니, 선택지는 없었다. 일단 시작이 반이라는 생각에 인디애나 주립대 ESL 프로그램으로 비자를 받고 유학 준비를 시작하였다. 출국을 일주일 앞두고, 또 하나의 레터를 받고 소리를 질렀다.

내가 가장 원했던 대학교에서 합격통지서를 보내온 것이었다. 꺄아!!

꿈의 대학 편입,
기숙사 생활 시작

미주리 대학교는 저널리즘이 유명하고, 빵아저씨로 유명한 브래드 피트, 트루먼 대통령, 케빈 클라인, 마크 트웨인 등 많은 저명인사를 배출한 학교로, 한국에서 신문·방송 기자나 관계자들, 교육부 공무원들이 많이 오기도 하였다.

지원하면서 알게 된 학교였지만, 미국에서 가장 아름다운 대학 캠퍼스 순위에 들만큼 캠퍼스 전경이 아름답다는 말에 무조건 지원하였다. 더군다나 인문대도 강했고 교육시스템도 우수하다고 한다.

하지만 입학하기도 까다롭고 졸업하기는 더 까다롭다고 하여 잠깐의 망설임도 있었지만 결국 떨어져도 Go였다. 그만큼 내게 캠퍼스 전경은 나의 대학 시절 로망이었다.

그런 대학에서 나를 뽑다니 믿어지지 않았다. 그렇게 나는 편입 준비를 시작한 지 5개월 만에 미국 유학길을 오르게 되었다.

미국대학은 보통 8월 말이나 9월부터 가을 학기를

시작한다. 나는 오리엔테이션 때문에 8월 중순에 도착했다. 각 대학마다 다르지만, 미주리대의 경우 신입생은 무조건 1년 기숙사 생활이 필수규정이다. college town이기도 하고 보통 타주보다는 주내 거주 학생들이 많아 앞으로의 대학 생활에 적응시키고자 필수지침으로 만든 듯싶다. 실제로 학교에서 1~2시간 정도 떨어진 집에서 나와 기숙사로 들어온 신입생들 중에 homesick에 걸려 우는 친구들도 있었다.

비행기 결항으로 일요일 저녁 늦게 도착한 기숙사는 램프가 달린 정문을 중심으로 주변에 잔디가 깔려 있고 아기자기한 모습으로 맞이하였다. 꼭 해리포터의 호그와트 기숙사 중 하나에 온 것 같은 느낌이었다. 여자 기숙사라서 그런지 깔끔하고 안에 카페테리아, 컴퓨터 랩실, 소모임 공간 등 여러 인프라가 구축되어 있었다.

캠퍼스에는 영화에서 볼 법한 Sorority/Fraternity Club House도 있지만, 이곳은 선정된 신입생들만 들어갈 수 있고 나름의 특권이 있어 현지 학생들에게 로망이기도 하다. 그 외에는 모두 기숙사 생활을 처음에 시작한다. 그리고는 필수기간이 끝나면 보통 집을 구해 나가 자유를 만끽한다.

한국 유학생들도 예외는 아니다. 보통 기숙사를 나가는 이유는 딱 하나다. 술 마시며 마음대로 놀 공간이 없기 때문이다.

하지만 나에게 있어 기숙사 생활은 나의 유학 생활의 꽃이었다고 자부한다. 처음 편입해서 졸업할 때까지 기숙사 생활을 하였고, 그 안에서 나는 나만의 대학 낭만을 만끽하였다.

아마도 다른 유학생들처럼 기숙사 생활을 안 했다면, 나는 3년 동안 별다른 감흥 없이 졸업했을 것이고 인생의 터닝포인트로 자리하지도 않았을 것이다.

기숙사 생활을 하면서 나는 대학 캠퍼스의 모든 혜택을 누리며 살았고, 현지인은 물론 다양한 국적의 친구들과 교류하며 어느 새인가 영어 실력은 현지 학생들과 토론할 만큼 일취월장하였다.

기숙사 생활을 하면 한 학기에 내는 학비 이외에는 따로 드는 돈도 없으며, 따로 유틸리티 비용 걱정도 없이 온종일 불 켜고 있어도 되고, 무엇보다도 차가 필요 없다. 저렴한 비용으로 대학의 모든 것을 누리고 중고등학교 조기유학으로 온 친구들보다 영어 실력이 좋아지니, 이 얼마나 가성비 좋은 유학 생활인가!

정 기숙사가 체질에 안 맞는다면 어쩔 수 없지만, 결국 집 나가면 고생이다. 나에게는 기숙사가 집이었다.

영포자의 영어정복을 위한 Kick Three

영어환경 강제로 세팅하기. 지나가다 보이는 간판의 단어, 광고문구를 소리내어 읽어보고, 스마트폰/노트북 언어설정을 영어로 바꿔보세요.

"영어를 쉽게 접할 수 있는 환경으로 만들면, 영어는 자연스레 녹아듭니다."

Freshman15?
오히려 그 반대!

    미국대학에서는 신입생들을 두고 종종 Freshman15 표현을 하곤 한다. 대학교 1학년생들이 입학하고서부터 보통 15파운드(약 7kg)가 찌는 현상에서 붙여진 표현이라고 한다.

    고등학교 때까지는 자신을 꾸미며 자유분방하게 살아오던 아이들이 대학 입학을 하면서부터 앉아서 본격적인 학업에 돌입하니 체중이 증가하는 것도 무리가 아니다. 고등학교 때는 입시로 새벽까지 죽어라 공부하고 대학교 입학해서는 맘 편히 노는 우리나라의 시스템과는 정반대이다.

    오리엔테이션에서 만났던 이쁘장한 신입생을 2주 만에 도서관 앞에서 우연히 마주치게 되었다. 반가운 마음에 달려가 인사하는데, 2주 전의 그 생기발랄한 모습은 어디 가고 다크서클이 턱 밑까지 내려와 엄청 피곤에 절은 모습만 가득했다.

    처음 OT를 마치고 느꼈던 나의 첫 감정은 대학의 설레임보다는 약간 학원의 느낌이 더했다. 한국 대학에서의 MT 가서 놀고 캠프파이어를 하며 결속을 다지는 그런

판타지는 여기 미국대학에서는 없었다. 철저히 개인 플레이였고, 알아서 찾아 먹어야 하는 그런 정글 같은 곳이었다.

편입생으로 들어왔던 덕에 전공인 프랑스어 레벨 테스트를 치루게 되었고, 문법에 강한 한국인 특유의 실력으로 레벨 2부터 시작하게 되었다. 한국에서의 레벨 2를 생각하고 가볍게 여겼는데, 첫 수업에 들어가자마자 멘붕이 왔다. 미국대학에서의 레벨 2는 프랑스어로 얘기하고 이해하는 그런 수준이었다. 아카데믹 영어도 한창 적응해야 할 판에, 프랑스어까지 같이 말하는 정도가 되어야 하니 그저 머릿속이 새하얘졌다.

그 뿐이 아니다. 미국대학에는 한국 대학과 달리 이과 계열의 과목도 필수로 들어야 한다. supervisor 교수와 상의 끝에 4학점짜리 지질학을 선택하였는데, 그게 실수였다. 미국에서 4학점은 일주일에 4시간을 채우는 것을 뜻한다. 욕심부리다 오히려 발목 잡힌 꼴이었다. 설상가상 영국 교수님의 발음까지 낯설어, 나는 첫 학기내내 같은 수업을 듣는 친구의 노트를 빌려 공부해야만 했다.

9학점밖에 안 들었지만 내게는 그 첫 학기가 3년 동안의 유학 생활을 통틀어 가장 힘들었던 순간이었다. 수업 첫 시작부터 2주간 여러 차례 멘붕이 왔던 나는 심한 좌절감과 함께 처음으로 '지옥이 있다면 여기겠다'는 생각이 들었다. 다시 한국으로 돌아갈까 하는 마음이 몇 번이고 들었지만, 그렇게 실패하고 돌아가는 모습을 보이기 싫었다.

유학 떠나올 때, 부모 덕에 유학 갈 수 있었다고 나의 노력을 깎아내리는 사람들에게 여봐란듯이 성공하는 모습을 보여주고 싶었다. 계란으로 바위 치기가 이런 건가 싶었지만, 돌아갈 때 돌아가더라도 일단은 버텨보자는 심정으로 하루하루를 지냈다.

체중은 그대로인데 보는 사람들마다 2주 만에 살이 많이 빠졌다는 소리를 하였다. 하루는 첫 OT 때 만든 학생증을 잃어버려서 다시 만들어야 했는데, 나중에 잃어버린 학생증을 찾게 되었다.

두 학생증을 나란히 보니까 정말 비포 앤 애프터가 확실히 드러났다. 너무도 웃겨 Johnston 식당 멤버들에게 보여주었다. 멤버들끼리 돌려가며 보는데 한 미국인 친구가 사진을 보더니, 한마디 하였다.

"Oh, my god! Did you smoke the pot?" (세상에, 너 마약했어?)

도서관 낭만?
스킨헤드 집단과 마주하다

여전히 학업에 적응하기 힘들었지만, Johnston 기숙사 식당에서 만나게 된 교환학생 친구들과 어울리며 같이 도서관에 가서 공부하고, 모르는 것이 있으면 office hour를 이용하여 교수님께 물어보고 하루하루를 버티다 보니까 멘붕으로 점철된 마음이 예전보다 많이 가벼워졌다.

같이 고민하고 서로 동기부여 하는 친구들이 있다는 것이 얼마나 감사한 일인지 모르겠다. 서로 비슷한 처지에 있어 누구보다도 서로의 고충을 잘 알고, 다같이 모여 도서관에 가서 공부하고 오기도 하였다. 그러다 보니 공부가 점점 재미있어져 갔고, 항상 도서관이 끝나는 자정이 되어서야 기숙사로 돌아가 못다 한 공부를 하곤 하였다.

하루는 어느 때와 마찬가지로 자정까지 도서관에서 공부하고 Johnston 멤버들과 같이 기숙사로 향해 돌아가는 길이었다. 어디선가 사람들의 외침과 구호 소리가 들려왔다. 밤중에 소란스러운 집단소리는 상당히 이례적인 일이었다.

소리가 나는 방향에서 오는 학생을 붙잡고 무슨 일인지

물어보니, 이날 학교의 중심지 Jesse Hall 부근에서 스킨헤드족 집단이 대규모 집회를 열었다며 그쪽으로는 가지 말라는 충고를 남기고는 떠났다.

하지 말라면 더 하고 싶은 것이 사람의 심리일까. 호기심 많고 당찬 우즈벡 친구를 필두로 우리는 조금씩 문제의 집회장소 근처 경로로 해서 기숙사로 향하였고, 함성소리도 점차 커졌다.

말로만 듣던 스킨헤드족을 직접 목격하는 호기심이, 외국인 혐오증이 있는 인종차별주의자 집단에게 해코지를 당할 수 있는 위험성보다 더 큰 순간이었다. 그만큼 우리는 안전 불감증이었던 것 같다.

갑자기 큰 지프차를 몰고 4명의 백인 남자들이 튀어나오는데, 순식간에 우리가 있는 방향을 향해 돌진하며 욕설을 날리며 가로질렀다. 모두 바로 옆으로 피해 다친 사람은 없었지만, 험악한 분위기를 인지하고는 곧바로 주변을 벗어났다. 난생처음 TV로만 보던 장면이 내 앞에서 펼쳐지는데 심장이 벌렁거렸다. 친구들과 다시는 그쪽으로 가지 말자고 다짐하고는 기숙사로 들어갔다.

다음 날 수업에서 다들 한밤중의 스킨헤드 집회소동에 와자지껄하였다. 알고 보니, 연례행사처럼 집회를 여는데 이번에는 한밤중에 소동을 벌여 경찰이 출동하고 난리가 났다는 것이다. 그 이후로 졸업 때까지 스킨헤드족 집회소동은 일어나지 않았지만, 그날 밤의 강렬한 기억은 지금도 생생하다.

하루 3시간 수면,
첫 학기 성적결과는?!

    앞서 말했듯이 나의 첫 학기는 말이 9학점이지, 전혀 쉬운 9학점이 아니었다. 보통 18~19학점을 듣는 한국 대학과는 달리, 미국대학은 적게는 9학점에서 12~15학점을 듣는다고 한다.

    9학점, 12학점이라고 해서 우리나라 대학에서의 학점과 똑같다고 생각하면 큰 오산이다. 프랑스어와 지질학, 이 두 과목만으로도 사람을 학기 내내 녹초를 만들 수 있다는 사실을 뼈저리게 느낀 기간이었다고 해도 좋다.

    프랑스어 수업은 학생들의 수준이 문법은 약한데 자신들의 모국어와 비슷한 단어들이 많기 때문에 상당히 쉽게 말이 나오고 이해한다. 나의 경우는 반대였다. 심지어 같은 수업을 듣는 중국인 친구는 왜 그리 프랑스어를 잘하는지, 동양인이라 쉬운 게 아니라는 평계도 될 수 없었다.

    첫 수업부터 프랑스어 저널 작성과제가 나오고 멘붕이 왔던 나는 곧바로 Office hour에 TA(Teaching Assistant)를 찾아가 상담 요청을 구했다. 모든 것이 낯설고 두려웠던 나를

TA 조교는 따뜻하게 맞이해주면서 과제에 대해 차근차근 가르쳐줬다.

만약 수업 따라가는데 어려움이 있다면, 교수님의 Office hour를 적극 활용하라고 이야기해 주고 싶다.

우리나라 학생들은 대부분 교수님을 어려워하다 보니 미국대학에 와서도 비슷한 행보를 보이기 경우가 많다. 물론 자기 시간을 방해받기 싫어하는 교수님도 있겠지만, 대개 교수님들은 자신을 찾아와서 수업에 대해 질문하는 학생을 상당히 좋게 본다.

또한 Office hour는 대학에서 교수님들이 꼭 학생들을 위해 할애해야 하는 시간으로 필수적으로 규정하기 때문에, 학생이라면 꼭 자기의 권리를 적극 사용하기 바란다.

첫 수업 이후부터 나는 영영사전, 한영사전, 한불사전, 영불사전, 4개 사전을 돌려가며 프랑스어 저널 숙제를 하기 시작하였다. 프랑스어가 익숙하지 않은 나에게는 무식하지만 확실한 방법이었다. 처음에는 5줄 정도의 프랑스어 저널을 쓰기 위해 5시간이 걸렸다.

지질학 수업도 마찬가지였다. 고등학교 때 배운 지구과학의 개념은 같아서 그나마 괜찮았지만, 문제는 지질학 용어를 영어로는 잘 모른다는 것이다. 그래서 몇 백 페이지짜리 교과서를 읽는 것이 마치 3살짜리 아이보고 이해하라는 것 같았다.

읽는 속도가 느린 나는 기숙사 한 귀퉁이에서 밤새워 읽는 수밖에 없었다. 그렇게 밤새 읽다 보면 아침을 맞이하는 경우가 부지기수였고 잠은 주말에 몰아서 자기 일쑤였다.

하지만 영원히 쳇바퀴 돌 것 같던 이 생활도 조금씩 익숙해져 갔고, 소요 시간도 점차 줄어들었다. 5시간짜리 5줄이 2~3주가 지나니 서너 시간 10줄로, 한두 달쯤 되니 두세 시 간으로 줄어들었고, 학기 말에는 한 바닥을 쓰는데 30분에서 1시간 정도 소요하게 되었다. 문장이 길어지면서 표현력도 풍부하여 져갔다.

그래서일까? 학기 초 한마디도 못 한 프랑스어를, 학기 말에는 학생들 앞에서도 발표할 수 있게 되었다.

오랜 긴장과 스트레스 때문인지 결국 파이널 시험 기간에 탈이 났고 응급실로 실려 가게 되었다. 학기가 끝날 때마다 항상 아팠고 그건 하나의 연례행사가 될 만큼 나의 모든 것을 갈아 넣었던 것 같다.

열심히 최선을 다한 만큼 조금씩 나아지는 과정을 몸소 경험하면서 과목 성적을 꽤 기대하였다. 하늘은 스스로 돕는 자를 돕는다고 하지 않았나.

결과는 4.0 만점에 2점대. 처참한 결과다.

3.0 이하의 성적을 받아본 적은 그때가 처음이었다. 한국에서도 항상 우수성적을 유지했던 내가 3.0 이하 성적을 받다니. 점수가 충격이기도 하였지만, 그렇게 불사르며

공부한 것에 관한 결과가 이 정도 밖에 안 나왔다는 사실이 너무 억울하고 속상했다. 때로는 아무리 열심히 해도 원하는 결과가 나오지 않기도 한다.

영포자의 영어정복을 위한 Kick Four

영어일기 쓰기. 내성적인 사람이라면 영어일기를 추천합니다. 확언이나 기도를 적어도 좋고, 평소하던 SNS 글을 영어로 써도 좋습니다. 나의 생각을 영어로 표현하는 것이 익숙해지면, 어느새 말도 편해집니다.

"언어를 내 것으로 만드는 가장 확실한 방법은 말이나 글을 통한 표현입니다."

18학점 초강수 두다

다른 친구들은 그래도 좋은 점수들을 받은 모양이었다. 내심 자존심이 상했다. 첫 학기의 처참한 성적표를 받고 오히려 '어디 네가 이기나, 내가 이기나 해보자' 오기가 생겼다.

당시 나의 목표는 '최단기간으로 최고의 성적으로 졸업하자' 이었다. 그래서 하는 김에 18학점을 듣는 초강수를 두게 되었다. 미국대학에서 18학점을 듣는 것은 우리나라에서 24학점 듣는 것과 같다고 보면 된다. 살인적인 수강 일정이지만, 그냥 밀어붙이기로 하였다.

역시나 '1학기 때보다 더 정신없겠다' 단단히 마음먹고 시작하는데, 시간이 점점 흐르면서 뭔가 이전 학기보다 수월하다는 느낌을 받았다. 물론 이전 학기보다 2배의 양을 소화하기 위해 밤새워 공부하고 쪽잠 자는 일이 허다한 것은 마찬가지였다.

신기하게도 첫 학기보다 공부량은 현저하게 늘어났는데도 힘들지 않았다. 곰곰이 생각해보니, 첫 학기에 서서히 축적된 공부의 밀도가 두 번째 학기에 되어서야 급격히 커진 것이 아닌가 싶다. 결국 2학기 성적표 결과는 한 과목 빼고 all A를 받게 되었다. 이로써 전체 평균 성적이 올라가고 나는 지난 학기의 패배를 설욕할 수 있었다.

평범한 유학생,
프랑스 교환학생에 뽑히다

첫 학기의 뼈아픈 패배는 내 안에 잠자던 승부욕을 다시금 일깨웠다. 2학기 때에는 수강학점을 무리하다 싶을 정도로 잡았고, 그대로 진행하였다. 혹시라도 성적이 안 좋아 drop하면 어쩌나 하는 걱정은 아예 하지도 않았다.

이상하리 만치 당시의 나는 뭔가 자신감에 가득 차 있었다. 그리고 막연한 자신감은 학기가 지나갈수록 더욱더 확신으로 다가왔다. 몰입이란 게 이런 건가 싶다.

첫 학기는 비록 어렵고 힘들었지만 2학기부터는 아무리 힘들어도 첫 학기보다는 힘든 느낌도 안 났다. 마음이 심란할 때는 밤마다 기숙사 근처 풋볼 트랙을 돌며 하늘을 바라보며 나만의 시간을 가지고자 하였고, 그렇게 30~40분 걷고 오면 기분이 상쾌해지고 다시금 공부에 열중할 수 있었다. 그렇게 차차 맷집을 키워 나갔다.

다행히 2학기 수업은 순탄하게 흘러갔다. 모든 수업에서 다른 학우들보다 앞서 나가며 교수님에게 인정받고 있었다. 하루하루가 어떻게 지나가나 싶을 정도로 그렇게 바쁘게 살아갔을 무렵, 우연히 프랑스 파트너십 교환 프로그램에 대해 알게 되었다.

미국대학에서는 유학생, 현지학생 구분없이 교환학생 프로그램을 신청할 수 있었는데, 이 또한 몇 가지 절차를 거쳐 승인을 받아야 가능한 프로그램이었다. 한국에 있을 때도 교환학생에 대한 로망이 있었지만, 치열한 경쟁률 때문에 교환학생으로 가기란 하늘의 별 따기 였다. 그런데 여기 미국에서 프랑스로 교환학생을 갈 수 있다?

나의 오랜 로망을 실현하게 해줄 기회였다.

유학 온 지 1년도 채 안 된 애가 또다시 영어권이 아닌 다른 나라로 가서 공부한다는 것이 과연 맞을까 잠시 고민도 하였지만, 눈앞에 있는 기회를 놓치고 싶지 않았다. 무식하면 용감하다고 우선 부딪혀보자 하는 심정으로 신청 절차를 밟았다.

일주일에 18시간의 수업과는 별도로 움직여야 했기에 안 그래도 촘촘한 나의 스케줄은 더 촘촘하게 짜여져 움직여야 했다. 이때가 가장 정신없이 동분서주 했던 기간이었다.

그렇게 가능했던 것은 내가 다이어리에 그날의 To Do List를 적어가며 하나씩 실행했기 때문인 것 같다. 옆에서도 친구들이 보기에도 어떻게 가능하냐는 살인적인 스케줄을 그렇게 감당하고 있었다.

학기 말, 드디어 결과가 나왔다. 지성이면 감천이라고

했던가. 프랑스 파트너십 교환학생에 뽑히게 된 것이다. 유학이 나의 목표였다면, 프랑스 교환학생은 정말 우연히 얻게 된 행운이었다. 한국에 있는 식구들과 주변 친구들에게 이 소식을 알려주었고 모두 기뻐하며 한마음으로 축하해주었다.

한국에서 대학을 다닐 때 불어불문학 전공을 살리고자 잠시 영미권이 아닌 프랑스로 유학 갈까 아주 잠시나마 고민한 적이 있다. 잠깐의 고민은 시간이 지나면서 점점 묻혀져 갔는데, 미국 유학한 지 1년 만에 그 로망을 실현할 수 있게 된 것이다.

Allez à Paris!

아듀! 나의
Johnston 프렌즈

    나의 프랑스 교환학생 소식을 들은 Johnston 멤버들은 다들 기쁜 마음으로 축하해주며 프랑스로 가면 자기들이 사는 곳에서 멀지 않으니 꼭 놀러 오라고 초대하였다. 같은 유럽이라 기차를 타고 국경을 넘으면 금방이라고.

    앞에서도 종종 언급했던 Johnston 멤버들은 대부분 각국의 교환학생들로 구성된, 나와 같은 시기에 미주리대에 와서 1년을 수업 들으며 나와 동고동락하며 지내며 함께 힘든 미국 생활을 버텨온, 나의 첫 유학 시기에 없어서는 안 될 존재들이다.

    낯선 타지에 홀로 와 마음에 맞는 친구도 없이 며칠을 지내다 Johnston 기숙사 식당에서 같이 밥을 먹게 된 것이 첫 만남이었다. 우리 기숙사 식당은 캠퍼스 내 가장 맛있기로 소문나서 다른 기숙사 학생들이 와서 먹고 하였는데, 독일 교환학생인 크리스티앙의 주도로 외국 학생들이 하나, 둘 모여들면서 그때마다 테이블의 길이는 점차 늘어났다.

    크리스티앙은 게르만족의 후예답게 키가 크고 스타일링을

잘하는 유쾌한 친구였다. 영어도 잘해서 다국적 학생들이 점차 우리 테이블로 모여들었고, 현지인 친구들도 참여하기도 하였다.

Easy come, easy go 분위기에 많은 학생들이 같이 식사하면서 다양한 주제들로 이야기 꽃을 피웠고 그러면서 삼삼오오 친해지게 되었다. 독일, 프랑스, 대만, 인도네시아, 우즈베키스탄, 일본 등 여러 나라의 우수한 학생들이 각국에서 선발되어 1년간 공부하고 돌아가게 되는 식이었다.

친구들은 누가 무어라 할 것도 없이 Johnston 식당에 매일 11시부터 1시까지 모여 식사를 하며 잡담을 나누고, 수업이 있으면 먼저 가고 나머지 친구들은 남은 친구들끼리 얘기하다 떠나가곤 하였다. 시간이 되면 같이 도서관에 가서 각자 과제들을 하기도 하고, 중간고사가 끝나면 하루 날 잡아 Potluck Party를 열어 스트레스를 풀기도 하고, Thanksgiving Break에는 다른 도시로 여행을 갔다 오기도 하였다. 그야말로 Johnston 연합 동아리였다.

내가 유학 생활을 성공적으로 마칠 수 있던 것은 다 이 친구들을 만났기 때문이라 생각한다. 처음 아무것도 모르고 막연히 두려운 상태일 때도, 이 친구들이 같이 있으며 서로의 고민을 공유하고 열심히 공부했기 때문에 처음의 그로기 상태를 잘 벗어날 수 있었다. 이 친구들을 통해 나는 즐기면서 일하는 법을 서서히 배워 나갔다.

2학기 마지막 날, 정이 들만큼 들었던 우리는 특별한 시간을 갖기로 하였다. 컴퓨터를 잘하는 대만 친구가 그동안의 사진 영상들을 모아 PPT로 발표하였다. 마지막 배경음악에 프랭크 시나트라 'My Way' 노래가 나오는데, 다들 그동안의 추억과 아쉬움이 교차하는지 눈시울이 붉어졌다.

정든 마음과 아쉬움을 뒤로한 채, 우리는 서로 언제 올지 모르는 다음을 기약하며 각자의 발길을 돌렸다. 다음날, 나는 프랑스로 가는 비행기에 몸을 실었다.

이제 프랑스다!

영포자의 영어정복을 위한 Kick Five

외국인 친구와 우정 나누기. 언어는 소통의 도구이자, 상호
문화의 이해와 교류의 수단입니다. 혼자만 하는 언어는 없으
며, 언어는 쓰지 않으면 퇴보합니다. 하여 영어 대화상대를
찾아야 합니다.

많은 친구를 사귀지 않아도 좋습니다. 한두 명의 마음 맞는
외국인 친구면 충분합니다. 의미있는 우정을 나눌수록, 영어
또한 의미있는 언어가 됩니다.

PART 3

미국 → 프랑스 → 다시 미국

이제 파리지앵 되는 거야?
혹독한 교환학생 환영식

　프랑스 교환학생 확정이 발표가 난 뒤, 주변에서는 다들 이제 파리지앵 되는 거냐며 난리가 났다. 나 또한 프랑스에 대한 환상과 유럽이 미국보다 더 나을 거라는 기대감에 한껏 부풀어 올라 들뜬 마음의 연속이었다. 프랑스는 미국보다 더 다양한 국적들이 사는 곳이라 하여 좀 더 유토피아적 상상을 그려보게 되었다. 하지만 현실은 달랐다.

　파리에 도착 후, 학교에서 선정해 준 프랑스 홈스테이로 이동하였다. 예술의 도시답게 내가 처음 갔던 홈스테이 주인은 음악가였다. 그리고 나의 숙소는 홈스테이 집과 떨어져 있는 다른 건물의 맨 꼭대기 층 지붕이었다.

숙소는 한 평 크기의 방에 모든 게 있었다.

　방 한가운데 누우면 발목이 나오는 다 꺼져가는 매트리스가 있었고, 그 옆으로는 마술쇼에서 나오는 탈출 상자같이 생긴 샤워 박스, 구석에는 작은 책상이 배치되어 있었다. 화장실은 복도 끝에 있는 공동 변기를 써야 했다. 지붕에 창문이 달려서 환기를 시키려고 창문을 열어놓으면 집 안으로 비둘기가 들어와서 쫓아내야 했다.

마치 아버지가 파산하자 교장 밋치 선생에게 하녀 방으로 쫓겨난 소공녀가 된 기분이었다. 그리고 왠지 그 지붕을 타고 창문으로 인도 원숭이가 내 집에 찾아올 것만 같았다.

알고 보니, 내가 있던 숙소는 100년 전 하녀들이 살던 집이었다고 한다. 나는 식사하러 갈 때만 홈스테이 주인집에 갔고, 프랑스인이 아닌 러시아 이민자 주인집 사람들과 프랑스어로 소통하며 지내게 되었다. 여기가 러시아인지 프랑스인지 헷갈리는 경우가 허다했다.

한 달이 지날 즈음, 아침에 일어나는데 몸을 일으켜 세울 수가 없었다. 꺼진 스프링 침대에서 자다 보니 허리에 무리가 생겨 디스크가 온 것이다. 결국 아무것도 할 수 없는 상태로 꼼짝 없이 며칠간 누워 있어야 했다.

급하게 병원을 찾아 응급처치 하였지만, 상태는 호전되지 않았고 수업도 제대로 할 수 없었다. 학교 담당자와 상담도 하였지만, 담당자는 나의 상태는 신경도 쓰지 않고 오로지 자기네들 이해타산에만 집중하였다.

같이 여름 학기에 참여했던 미국 친구는 겉으로는 "I am here for you" 내 상황을 다 이해해 주는 척 얘기하더니, 내가 뒤돌아 나가자마자 다른 옆 친구에게 내 흉을 보기 시작했다. 미국 친구의 의리란!!

결국 여름 학기를 포기하게 되었다. 파리는 결국 내게

상처투성이 기억으로 남겨지고, 그렇게 혹독한 교환학생
환영식은 막을 내렸다.

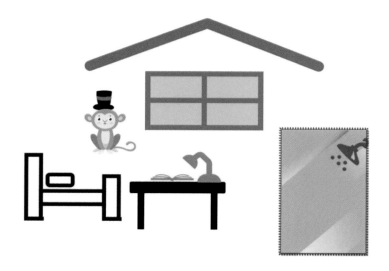

영어 말고 프랑스어!
3개월 만에 귀 트이다

허리 안정을 취하면서 지인 추천을 받아 스트라스부르그 (Strasbourg)에서 잠시 머물게 되었다. 스트라스부르그는 알프스 지방에 자리 잡고 있는데, 파리와는 달리 깨끗하고 쾌적하였다.

가을 학기 들어가기 전에 준비가 어느 정도 되어있어야겠다는 생각이 들어, 주변 어학원에 들어가서 차근히 실력을 키우기 시작했다. 언어라는 것이 참 재밌다는 생각이 들었다. 그렇게 힘들게 영어를 배웠더니, 이번에는 또 프랑스어 배우는 과정이 너무도 고되다.

처음에는 멋모르고 했지만, 두 번째는 같은 과정의 상황이 반복되니 자연스레 영어 때와 비교하며 속상하기가 부지기수였다.

자꾸 부정적인 생각이 더 악화시키는 것 같아, 마음을 비우고 다시 새로 시작하는 마음으로 생각을 바꾸기로 하였다. 예전에 미국 어학연수 시절을 대입하여 똑같이 프랑스어에 대입하기 시작했다.

프랑스인들은 다른 유럽인들에 비해 영어를 못한다. 그래서 영어로 물으면 대충 이해하고 프랑스어로 답해준다. 하지만 영어에 대한 열망이 높기에 외국인들을 보면 영어로 답해주려는 사람들도 더러 있다.

나 역시 많은 프랑스인들이 영어로 답해주려고 하였다. 그러면 나는 일부러 영어를 못하는 척 연기하면서 프랑스어로만 얘기하고자 하였다. 내가 금발의 파란 눈이 아닌 것이 참 다행이라는 생각이 들었다. 어학원에서 배운 문장이나 표현을 일부러 집 가는 방향을 알아도 지나가는 사람을 붙잡고 물어보며 그렇게 연습해갔다.

그랬더니 신기하게도 프랑스어는 영어 때보다 훨씬 더 빨리 귀가 트이게 되었다. 처음 영어 어학연수 때는 귀가 트이기까지 6개월이 소요되었는데, 프랑스어의 경우는 그것보다 1/2이 단축되었다.

언어체계가 비슷한데다가 영어의 많은 단어들이 프랑스어에서 유래한 것들이 많기에 나는 영어를 프랑스식 발음으로만 고치면 되었고 프랑스 사람들은 내가 하는 말을 대부분 알아들었다.

결국 언어는 서로 문화가 비슷하면 유사해진다는 것을 깨달으며, 언어가 빨리 느는 데는 발음, 소통하기랑 그리고 무한반복만 한 것이 없다는 것을 다시금 느꼈다. 만약 싸울 일이 많다면 그것 또한 언어가 빨리 느는 비법 중 하나라고 말하고 싶다.

영포자의 영어정복을 위한 Kick Six

그날 배운 영어 바로바로 써먹기. 그날 익힌 영어표현은 혼잣말로 여러 번 반복하거나, 주변 사람들과 채팅, 대화를 통해 곧바로 활용해보세요.

"익숙하지 않은 것도 일단 내뱉는 순간, 절반은 내 것이 됩니다."

유럽의 크리스마스,
다시 미국으로

가을 학기가 시작되면서 학교로 들어갔고, 수업에 참여하기 시작했다. 스트라스부르그(Strasbourg)에서 어느 정도 프랑스어 연수를 받아놓은 덕택에 수업 따라가기가 훨씬 수월하였다.

프랑스어 실력을 높이기 위해 온 친구들은 유럽, 아프리카, 브라질, 중국, 일본 등 각양각색이었다. 프랑스어에 많이 노출된 서방국가 학생들은 확실히 자기표현에 거침이 없었고 토론에서도 주도권을 차지하기 십상이었다.

미국 토론문화에도 어느 정도 익숙하기에 나름 열심히 토론에도 참여하고 내 주장을 펼치기도 하였지만, 어릴 적부터 프랑스어에 노출된 친구에게는 게임 자체가 안되는 것 같았다. 특히 스웨덴 친구들 중 잘하는 친구들이 많았다.

나중에 스웨덴어를 들어보니 은근 독일어랑 프랑스어를 섞은 듯한 뉘앙스가 풍기는데 언어 발음이나 기호체계부터 유사한 점이 많은 것이 아닌지 모르겠다. 스웨덴은 어릴 적부터 영어, 프랑스어 등 기본적으로 4개 국어를 배운다고 한 친구가 얘기해줬다. 확실히 어릴 적부터 언어 노출은 나중에 언어를 배우는데 있어 많은 역할을 하는 것 같다.

우리는 우리 나름대로 발음체계랑 문자 자체가 아예 달라서 서방국가 친구들처럼 발음이 헷갈릴 경우는 없으니 확실히 프랑스어 발음을 잘 할 수 있는 부분도 있으니 그걸로 위안 삼으며 공부하고, 주말에는 근교로 혼자 기차여행을 하며 내 나름대로 프랑스를 돌아다니곤 하였다.

9월, 10월이 지나 어느덧 12월이 성큼 다가왔고, 그때부터 한적했던 마을이 점차 분주해지기 시작했다. 조금씩 트리가 나오기 시작하고, 각 집 현관에는 크리스마스 리스랑 미슬토, 겨우살이 등이 걸려있었다.

이맘때쯤 프랑스는 지역마다 크리스마스 시장이 활발한데, 아기자기한 크리스마스 장식, 선물들이 총망라하여 나온다고 한다.

나는 주말을 이용하여 친구를 보러 갈 겸, 최대 크리스마스 시장에 방문할 겸 스트라스부르그로 이동하였다. 학교에서 스트라스부르그는 기차로 6시간 걸렸다. 최대 크리스마스 시장을 보유하고 있다는 명성에 걸맞게 오래간만에 방문한 스트라스부르그는 도시 전체가 크리스마스 분위기였다.

친구랑 이것저것 구경하면서 한국에 돌아가면 줄 지인 결혼식 선물을 하나 구입하였다. 돌로 만든 물방앗간 장식 램프였다. 꽤 무거웠지만, 지인이 받고 좋아할 것을 생각하니 힘든 것은 안중에도 없었다.

프랑스 생활은 비행기를 타는 마지막 날까지 시끌벅적하고 정신이 없었다. 비록 프랑스의 로망은 현실을 직시하면서 부서졌지만, 그 안에서 좌충우돌하며 나는 언어적으로, 인격적으로 빠르게 성숙해져 갔다.

한국에 방학 차 잠시 쉬었다가, 다시 미국으로 돌아오는 길에 공항에서 미국인들과 애기를 나누게 되었다. 이전에는 몰랐는데 새삼 미국 사람들이 천사라는 생각이 들었다. 참으로 사람은 힘든 일을 겪어봐야 그 이전에 누린 당연한 것들의 소중함도 느끼는 것 같다.

한동안 프랑스는 생각하고 싶지도 않았다.

헷갈리는 언어 체계,
영어 숙성하다

　미국 Johnston 기숙사로 돌아왔을 때는 조금씩 많은 것들이 변해있었다. 함께 고생하며 동고동락했던 Johnston 멤버들은 이미 자기 고향으로 돌아갔고, 나는 다시금 혼자가 되었다.

　Johnston에 사는 다른 기숙사 친구들과 잠시 인사를 나누고, 미국 생활에 다시 집중하기 시작했다. Johnston 식당에는 새로운 교환학생들이 점점 모여들기 시작했지만, 예전과 같이 여러 주제로 다양하게 이야기하고 서로를 챙기는 정감스런 분위기는 없었다.

미국에 돌아온 나 자신 또한 달라져 있었다.

　프랑스 교환학생을 마치고 미국으로 돌아온 나는 어느새 프랑스어에 익숙해져 있었고, 내 머릿속은 한국어 단어를 생각하려면 영어나 프랑스어로 먼저 생각이 스쳐 지나가든지, 영단어를 생각할라치면 한국어나 프랑스어가 생각이 나는 등 언어들이 뒤죽박죽 섞이는 기묘한 상태가 되어버렸다. 한 친구는 내 Johnston 발음을 들더니 프랑스인 다 되었다며 한참 웃기까지 하였다.

처음에는 당황도 하였지만, 차츰 적응하도록 놔두며 미국 생활에 충실하고자 노력하였다. 영어로 생각이 안 나는 것은 그냥 프랑스어로 변환하여 비슷하게 입 밖으로 튀어나오게 했다.

한 달이 지나고 서서히 뒤죽박죽으로 머릿속에서 엉켜졌던 언어들이 조금씩 체계를 잡혀가는 것이 느껴졌고, 이전보다 말하는 것도 한결 수월해짐을 느꼈다. 왠지 영어만 알았을 때보다 표현하는 데 있어 나의 생각과 느낌을 상대방에게 더 잘 전달하는 듯했다.

한 번은 기숙사 프론트 데스크를 맡는 RA (Resident Assistant)와 대화를 나눈 적이 있는데, 프랑스 교환학생으로 가기 이전에도 기숙사에 살면서 가끔 마주치며 인사하던 사이였다. RA가 대화 중에 내가 프랑스 교환학생 가기 이전보다 영어가 상당히 많이 늘었다는 소리를 하였다. 정말 그런가 하는 생각이 들면서도 최근에 알아차린 그 느낌이 확신으로 변하는 순간이었다.

어릴 때부터 모국어와 다른 언어를 같이 가르치면 오히려 언어발달이 늦어진다는 말을 들은 적이 있었다. 프랑스를 다녀온 직후 나의 모습이 꼭 이제 막, 말을 배우는 아이와 같다는 생각이 들어 '이러다가 언어가 모두 뒤죽박죽되는 거 아니야?' 하는 염려증이 없었다면 그건 거짓말일 것이다.

하지만 크고 난 다음에 배운 언어는 여러 가지를 배워도 뒤죽박죽 헷갈리는 것은 잠시뿐, 이내 뇌에서 언어의 체계를 하나씩 만들어 나가 각 언어체계가 서로 유기적으로 이뤄질 수 있게 만든다는 것을 깨닫게 되었다. 한국어와 프랑스어가 결과적으로 영어 실력을 한층 더 숙성시켜 준 셈인 것이다.

교수님과 절친하게 된 사연

3학년 2학기에 들어서면서 전공과목들 대부분을 학기시간표에 채워 넣게 되었고, 3학년 수업인 만큼 난이도 또한 많이 올라가게 되었다. 프랑스어 전공 수업들은 본격적으로 Francophone 교수님의 지도하에 프랑스어로만 토론·발표를 진행해야 했고, 언어학 전공수업은 수학적 언어기호 및 체계에 대해서 다루는 것이 대부분이었다.

처음 언어학 전공수업을 듣는데, 고등학교 시절 배운 교집합, 합집합 등이 나오는데 '그렇게 싫어하던 수학을 대학 전공과목에서도 또 배우는구나!' 한탄했던 기억이 난다. 수업의 핵심은 모든 글을 수학적 기호로 바꾸고, 수학적 기호를 글로 바꿔 해석하는 작업이었다.

미국 유학을 성공적으로 하려면, Office hour를 적극 활용하라는 말을 여러 번 얘기한 것을 기억할 것이다. 그만큼 Office hour는 현지인, 외지인 누구 하나 가릴 것 없이 대학을 무사히 졸업하고 싶은 학생이라면 응당 활용해야 하는 수단이다. 교수님의 커리큘럼과 의도를 좀 더 가까이에서 배우고 1:1 코칭을 받으며 교수님과의 라포를 형성할 수 있기 때문이다.

유학 초반, 아무것도 모르는 막막함과 두려움이 많았을 때 무조건 해당 교수님을 찾아가 질문하고 또 질문하는 것이었다. 현지인도 아니고 영어도 뭔가 어설퍼 보이는 동양인 학생이 똑같은 질문을 반복하고 확인하는데 그에 대해 답변을 해주려는 미국 교수님들도 짜증도 많이 났을 것이다.

하지만 진심은 통한다고. 절박한 마음을 가지고 어떻게든 수업을 따라가려는 학생을 보면 교수님들은 스승 본연의 마음가짐으로 돌아가 그 학생에게 많은 가르침을 전달해주려고 부단히 노력한다. 현지 학생들도 많이 안 찾아오는데, 타국 멀리서 온 동양인 학생이 하루가 멀다하고 가르침을 받겠다고 찾아오는데, 그 누가 싫어하겠는가!

언어학 수업도 마찬가지였다.

암호화 작업과 같은 복잡한 매트릭스 언어체계를 배워야 하는 수업을 따라가기 위해, 나는 수업 둘째 날부터 Office Hour 마다 교수님을 찾아가 수업 때 모르는 부분에 대해 질문하였고, 교수님이 답변해줄 때 이해가 안 가면 다시 질문하며 확인하는 등 집요하게 붙들고 늘어졌다.

처음에는 표정만 봐도 나의 방문을 귀찮아하고 달가워하지 않던 교수님의 태도가 학기가 지나갈수록 점차 부드러워졌고, 어떠한 질문도 아낌없는 조언을 해주며 어느새 진심으로 응원해주기 시작했다. 그렇게 교수님은 나의 베프가 되었다.

수업 마지막 날, 교수님께 그동안 감사했다는 인사를 드리러 교수실에 찾아갔다. 교수님은 그동안 열심히 따라오느라 수고했다며, 한 가지 이야기를 더해주셨다. 사실 이렇게까지 Office hour에 자기 찾아온 학생은 내가 유일하다며, 그동안의 성실성을 인정하여 가산점을 더 주었다고 귀띔해 주었다.

학기가 모두 끝난 후, 성적표가 나왔고 나는 함박웃음을 지었다. 언어학 과목 옆에 나란히 A 점수가 매겨져 있었다.

영포자의 영어정복을 위한 Kick Seven

영어는 태도가 전부다. 영어가 완벽해야 한다는 강박관념은 버리고, 틀린 영어라도 개의치말고 일단 적극적으로 말해보세요. 이제 걸음마 단계인데, 모르고 틀리는 것이 당연합니다. 자신 있지는 않아도 부끄러워할 필요는 전혀 없습니다.

"언어는 기세입니다. 걸음마를 떼려면 우선 여러 번 넘어져야 합니다."

Study Abroad Fair,
현지인들에게 경험을 설파하다

캠퍼스 내에는 유학생들에게 필요한 정보를 주기 위해 국제센터가 자리하고 있다. 유학 생활 동안 종종 이곳을 찾아 여러 다양한 정보를 찾아보며 각종 이벤트에 참여하기도 하였다.

복학 후 정신없이 학기를 보내다 보니 국제센터에 갈 일이 거의 없었는데, 한번은 볼 일이 있어 국제센터를 지나치게 되었다. 여전히 리셉션 한 켠에는 다양한 브로셔들과 공지 노트가 붙어 있었다. 하나씩 훑어보다가 'Study Abroad Fair' 스탭 지원을 받는다는 공고가 눈에 들어왔다.

관련 부서에 문의하니 교환학생, 어학연수, 유학 등 다양한 루트로 해외 유학을 할 수 있는 정보에 대해 알려주는 포지션이라는데, 방금 교환학생을 마치고 온 나에게 딱 이었다.

Study Abroad Fair 당일, 많은 학생들과 학부모들이 찾아왔다. 나는 프랑스 부스를 맡아 프랑스에 대한 생활 정보와 유학에 대해 정보를 전달해 주었다. 고객층 대부분이 현지에 사는 학생들과 학부모들이었는데, 프랑스에 대한 미국 사람들의 로망을 입증하듯 프랑스 부스 인기가 좋았다.

처음에는 동양 여자애 한 명이 앉아있으니, '영어는 좀 하나?' 싶었는지 내게 물어보지는 않고 주변에서만 어슬렁거리며 브로셔만 챙겨봤다.

"What can I do for you? Are you interested in Study Abroad for France?"
(뭘 도와드릴까요? 프랑스 유학에 대해 관심있으신 건가요?)

먼저 다가서니, 이내 학생과 같이 왔던 어머니가 머뭇거리시다가 이것저것 질문을 하기 시작했다. 나의 프랑스 교환학생 프로그램 경험을 얘기해주면서 어떻게 지원할 수 있는지, 적응하는 방법 등 설명해주었다.

이 모습을 보고 그 다음부터 많은 학생과 부모들이 내게 스스럼없이 다가와 이모저모 프랑스 어학연수, 유학, 교환학생 등 다양한 루트에 대해 문의하기 시작했다. 확실히 원어민도 자기들이 원하는 정보를 알고 싶을 때는 인종, 언어 앞뒤 안 재고 먼저 다가오기는 우리와 마찬가지인 것 같다. 어디에나 적용되는 만고불변의 법칙이다.

이틀에 걸쳐 열린 유학박람회는 성황리에 마쳤고, 내가 있던 프랑스 부스는 가장 인기 좋은 부스로 선정되었다. 봉사활동이었지만 내가 알고 겪은 정보지식을 공식적인 자리를 통해 알려준다는 것이 뿌듯하였다.

더 기분이 좋았던 것은 유학한 지 1년 반 밖에 안 된 국내
토종이 영어로 현지인들에게 내 지식을 전달해줄 수 있다는
것이었다.

영포자의 영어정복을 위한 Kick Eight

다양한 영어활동 참여하기. 봉사활동이나 독서모임, 혹은 연극활동 등 다양한 활동들을 통해 영어의 참여도를 높여보세요.

"말하는 즐거움이 있어야 영어도 늡니다."

하늘의 별 따기, 장학금
처음으로 따내다

한국에 있을 때부터 나는 꼭 한 번이라도 장학금을 타야 직성이 풀리는 이상한 승부욕을 가지고 있었다. 스스로에 대한 약간의 보상 심리라고 해도 좋다.

미국대학은 한국대학에 비해 장학금 제도가 다양하고 잘 정비되어 있다. 물론 이 장학금 제도는 미국인들을 위한 것이긴 하지만 말이다.

유학생을 위한 장학금도 일부 있지만, 보통 대학원생을 위한 장학금이 대부분이다. 학부를 다니는 유학생을 위한 장학금은 그리 많지 않으며, 사립대보다 주립대에서 주는 경우는 더욱더 희박하다.

유학생 학비는 in-state 학생 학비의 3배에 달하지만, 유학생을 위한 장학금은 거의 없다. 그래서 학부생으로 유학길에 오르면, 집에 돈 많다는 소리를 듣는 것이다.

유학 간다는 소식을 전하면서부터 가족을 뺀 나머지 주변 사람들에게 '부모 덕에 유학 간다'는 소리를 귀에 딱지가 앉을 정도로 들었다. 고등학교 때 친구들조차 부모님이 돈이 많아서 유학 간다는 소리를 앞에 대놓고 하였다.

이 소리는 대학 졸업하고 나서도 들었던 것 같다. 그동안의 노력이나 과정은 무시한 채 철저히 부모님 빽으로 유학을 다녀왔다는 소리를 해야 조금이라도 자기 위안이 들었나 보다.

부모님 덕에 유학 간다는 소리가 너무도 싫었던 탓에 최소한의 비용으로 유학 생활을 마치고자 노력하였고, 그중 장학금도 도전 목록 중 하나였다.

학부생에게 장학금은 하늘의 별 따기라며 모두 고개를 절레절레 저었다. 남들이 못한다는 것을 꼭 해봐야 직성이 풀리는 오기가 발동한 순간이었다.

이전이라면 어렵겠지만, 많은 활동을 해온 지금이라면 장학금 타낼 자신 있었다. 미국은 학업 하나에만 몰두하는 것보다 봉사, 예술 등 여러 활동을 하는 통합적 인재상을 선호한다는 얘기를 얼핏 들은 적이 있었다. 비슷한 맥락이라는 생각에 국제센터 장학금을 신청하였다.

남들과의 차별점을 두기 위해 나의 그동안의 활동, 스토리를 담아 에세이를 작성하여 제출하였고, 이 전략은 보란 듯이 먹혀 들었다. 이후에도 비슷한 전략으로 여러 번 신청을 하였고, 그 때마다 장학금을 타게 되었다.

모국어가 아닌 제2외국어인 영어로 학교를 설득하여 장학금을 타는 그 짜릿함이란 이루 말할 수가 없다.

PART 4

평범한 유학생,
단과대학 최우수학생에
뽑히다

무신론자, 옆방 친구와 같이 성경 공부하기

    개방적인 집안 분위기 덕에 나는 불교, 기독교, 천주교 등 종교를 가리지 않는다. 오히려 얽매이는 것이 싫었던 탓에, 종교는 삶의 지침서 내지 철학적 수단이지, 따로 종교적 신념을 가지고 있지 않다. 그래서 유학생들이 많이 가는 한국 교회에는 별달리 참여하지 않았다.

    보통 타지에 나가 생활하게 되면, 사람들이 가장 먼저 찾는 곳이 한국 교회이다. 그리고 유학 생활에서 한국 교회는 하나의 작은 한국 마을이다. 워낙 좁다 보니, 그 안에서 많은 애기가 오가고 파가 갈리기도 한다.

    청년 모임은 주로 유학생들로 구성되어 있는데, 외롭고 힘든 유학 생활을 견디려다 보니 예배 이후에는 한국 유학생들끼리 뭉쳐서 술 먹고 노는 것이 다반사다. 그러다 보면 자신을 제어 못 하는 경우들도 생겨나고, 자연스레 학업을 등한시하게 된다.

    사람마다 각자의 가치관과 사정이 있겠지만, 개인적으로는 유학 본연의 목적을 해치면서까지 군이 한국 교회에 나가 참여하는 것이 좋은 지 모르겠다.

그렇게 별다른 종교활동 없이 지내던 중, 옆방 룸메이트인 Sarah가 내 방에 들어오더니 선물이라며 책 한 권을 선물해주었다. 성경책이었다.

평소 종교활동과는 무관하게 역사 덕후로서, 성경 공부 제대로 해보고 싶다는 생각이 늘 있던 차에 성경책을 선물 받자 기분이 좋아졌다.

Sarah는 아주 독실한 크리스천이었는데, 내가 성경책을 받고 좋아하는 모습을 보고 덩달아 기뻐했다. 그러다 문득 나는 Sarah에게 같이 바이블 스터디를 제안하게 되었고, 이에 Sarah는 흔쾌히 수락하였다.

바로 옆방이라 언제든지 바이블 스터디를 할 수 있고, Sarah라면 편견없이 나의 질문들을 받아들이고 답변해줄 수 있을 것 같았다.

일주일에 1~2번씩 나와 Sarah는 같이 바이블 스터디를 하였다. 확실히 영문판 성경책이 동기부여도 되면서 한국어판보다 제대로 의미를 전달해주었다.

어릴 적 친구 따라간 교회에서 읽었던 성경 구절에는 납득이 되지 않는 부분들이 많아 거부감도 많았는데, 영문으로 쓰여진 성경 구절은 조금은 다른 의미로 적혀 있었다.

성경 구절을 소리 내어 읽으면서 스터디를 하니, 내 발음이 귀에 들리면서 조금씩 각 문장의 인토네이션(intonation)을 자율적으로 수정해가는 신기한 경험을 하게 되었다.

내 앞에 있는 Sarah는 최고의 책 읽기 선생님이었다. Sarah가 읽는 구절을 들으면, 나는 그대로 내가 읽는 구절에 Sarah의 인토네이션을 흉내 내어 적용하였다.

성경 구절을 읽고 난 다음에는 항상 토론을 하였는데, 나는 무신론자의 입장에서 이해가 가지 않거나 궁금한 점을 거침없이 질문하였고 Sarah는 기분 나쁜 기색 하나 없이 질문에 대한 답을 해주고 같이 고민해주었다.

덕분에 나는 그동안 한쪽 면만 봤던 편견에서 벗어나 새로운 관점에서 기독교를 바라볼 수 있었고, 정교하게 다듬어진 영어 실력은 덤으로 갖추게 되었다.

영포자의 영어정복을 위한 Kick Nine

영어로 토론하기. 영어가 일정 수준에 오르면, 일상대화에서 벗어나 영어 토론에 참여해보세요. 흥미로운 관심 주제를 가지고 가볍게 시작해보세요. 특정 주제에 대한 나의 생각을 표현하고 설득해야 하는 만큼 난이도가 높지만, 그만큼 영어가 논리적이고 깊어집니다.

"근육을 크게 키우려면 고강도 운동훈련이 필요하듯이, 언어도 고강도 언어훈련을 거치게 되면 폭발적인 실력향상이 뒤따라옵니다."

공포의 Capstone 과정,
석박사생들 박수치다

4학년으로 올라가면서 졸업학점에 신경을 안 쓸 수 없던 나는 supervisor를 찾아가 어떤 과목을 들어야 할지에 대해 상의하였다. 졸업을 위해서는 capstone 수업을 반드시 이수해야 하며 이수를 못 할 시에는 학위 수여를 받을 수 없다.

Capstone은 졸업 논문처럼 학부 마지막 관문이라 할 수 있는데, 졸업 논문과는 다르게 학기 전체기간 동안 지금까지 배운 지식 중 하나 주제를 선정하여 독자적으로 연구·조사하고, 관련 분야의 학문적 토론에 참여하며, 교수 멘토의 지도를 받아 내용을 반영하는 실질적인 논문을 작성하는 과정이다.

언어학, 프랑스어 복수전공이다 보니, 각각 capstone 수업을 들어야 했고 언어학은 시간대가 맞는 capstone 과정이 없었다. 결국 supervisor는 대학원 과정 수업을 대체하여 들을 것을 권장하였고, 대신 대학원생들보다 적은 페이지 수로 학술보고서 내는 것으로 제안하였다. 다른 선택지가 없던 나는 그대로 받아들였다. 언제 대학원생들과 같이 수업을 듣겠나 하는 생각도 들어 도전해보기로 하였다.

호기로운 기세와는 달리, 언어학 capstone 수업은 첫날부터 멘붕의 연속이었다. 교수님은 수업 교재 속의 주제 중에 하나를 골라 연구·조사하고 입증하여 학기 말에 발표하고 논문으로 제출하라고 주문하였다.

'아직 배운 적도 없는 이론들을 미리 어떻게 주제 선정을 하나' 걱정도 되었고, 가뜩이나 읽는 속도도 느린데 과연 모든 연구조사를 제대로 진행할 수 있을까 막막도 하였다.

주제를 고심하던 중 수업 시간에 노암 촘스키의 언어습득장치(LAD) 이론을 접하게 되었고, 그 중 "언어습득을 하는데 가장 마지노선 나이는 초등학교 13세이다. 그 이후는 원어민처럼 언어를 습득할 수 없다"는 촘스키의 주장을 보게 되었다.

그럼 조기유학만이 답이란 말인가? 인정할 수 없었다. 그동안의 노력을 헛수고로 만드는 듯한 거장의 주장에 반발심이 들었고, 이 주제로 내가 반증을 해보자 도전 의식이 샘솟았다.

capstone 교수님과 상의하여 연구대상에 조건설정을 걸어두고 설문조사 및 인터뷰를 한 학기에 걸쳐 시행하였다. 그 대상은 한국 유학생들로 구성하였는데, 이유는 대부분 조기유학이라고 하여도 중고등학교 이후로 왔던 경우가 많으므로 촘스키의 조기언어습득 주장설을 반증하기에 좋은 소재라고 판단했기 때문이다. 그렇게 해서라도 나는 후천적으로도 얼마든지 원어민처럼 될 수 있다는 것을 입증하고 싶었다.

대망의 발표 날이 다가왔고, 나는 그동안 인터뷰했던 사람들의 목소리를 들려주면서 그들의 인토네이션, 발음, 유창성 등을 비교하며 촘스키의 주장에 반하는 나의 주장을 이어 나갔다.

대학원생들 앞에서 발표하는 것이 상당히 긴장되었지만, 발표를 이어갈수록 내 목소리는 점차 자신감으로 차올랐고 발표 스크립트를 보지 않아도 그냥 영어가 입에서 술술 나왔다.

모두가 그런 나를 집중해서 경청하였고 발표가 끝났을 때는 우레와 같은 박수 소리가 터져 나왔다. 그날 발표자 중에서 가장 많은 박수를 받았을 것이다. 한 학생은 기립박수를 쳐주기도 하였다. '어디 한번 어떻게 잘하나 보자' 하며 호시탐탐 노리던 교수님의 표정도 할 수 없이 인정한다는 듯 박수를 보내왔다.

평범한 유학생의 영어에 대한 진심이 21세기 거장의 이론을 꺾어낸 순간이었다. 그렇게 공포의 capstone 과정을 무사히 통과하게 되었다.

대학 러닝센터,
현지 학생들 과외하기

　무사히 Capstone 과정들을 마치고, 드디어 졸업학기가 찾아왔다. 모든 어려운 과정들을 이전 학기에 모두 끝낸 덕에 마지막 학기는 편하게 보낼 수 있다는 생각에 이전과는 다른 여유로움이 생겼다.

　마지막으로 하고 싶은 것을 다 해보자 생각하던 중, Student Learning Center에서 튜터를 구하는 공지가 난 것을 기숙사 게시판에서 보게 되었다.

　다른 유학생들처럼 아르바이트를 해보고 싶다는 생각은 있었지만, 학업에 방해될까봐 차마 못 했는데 튜터 일이라면 괜찮을 것 같았다. 평소에도 사람들을 잘 가르쳐주고 좋아했던 내게 안성맞춤 일거리였다.

　학기 초 러닝센터를 찾아 튜터 지원을 한 나는 프랑스어 튜터를 맡게 되었다. 누군가를 가르치는 것은 잘했지만 과연 현지 학생들을 대상으로 내가 잘 할 수 있을까 하는 초조함도 있었다.

튜터 등록을 하고 일주일이 지났을 때, 한 명이 튜터 신청을 해왔다. 신입생 남자애였는데 프랑스어 기초회화를 배우고 싶다고 하였다.

프랑스어 회화를 진행하면서 학생의 발음이나 자신감을 불어넣을 수 있도록 생각 안 나는 단어는 모국어인 영어를 쓰면서 프랑스어로 대화하는 것을 유도하였다.

처음에는 쭈뼛거리며 프랑스어로 대화하는 것을 망설이던 신입생은 조금씩 프랑스어로 말하는 것에 자신감이 생겼고, 결과가 만족했는지 계속 튜터 신청을 해왔다.

소문이 퍼졌는지 한 명, 두 명, 세 명… 다섯, 여섯 명… 튜터 신청은 계속해서 들어왔고 나는 일주일에 열 명 가까이 되는 학생들을 맡아 개인 과외를 해주었다.

학생들은 1학년에서부터 3학년까지 골고루 분포되었고, 과외 문의 또한 모두 주제가 달랐다. 어떤 학생은 문법을 가르쳐달라고도 하였고, 또 다른 학생은 에세이 첨삭을 요청하기도 하였다.

기말고사가 다가오면서 학생들의 과외 요청도 점점 줄어들었고, 나도 졸업 학기 마지막을 갈무리하느라 정신없이 지내고 있었다.

한 학생이 마지막으로 과외 신청을 하였고, 수업 시간이 끝나자 수줍게 가방 속에서 꺼낸 초콜렛을 하나 건네주며 말했다.

"I appreciate all your care and support. It was really helpful!"
(그동안 정성껏 가르쳐주고 도와줘서 감사해요. 정말 많은
도움이 되었어요!")

　누군가를 도와준다는 것은 참 멋진 일이다. 모국어가 아닌
영어로 현지 학생들을 가르치고 인정받는 것은 더 멋드러진
일이었다.

영포자의 영어정복을 위한 Kick Ten

배운 영어 써먹기. 배운 언어를 활용하고 써먹는 것이 진정한 목적 달성이자 언어 실력을 유지하는데 가장 이상적인 방법입니다. 배워서 남을 가르치거나 돈을 벌 수 있다면, 그것만큼 자신의 실력도 갈고닦고 성취감을 느끼는 것도 없습니다.

"배운 것을 남에게 나눠주면 줄수록, 더 크게 배우고 성장하게 됩니다."

교수님의 방해,
Cum laude 기회 날아가다

　한국대학에서는 대부분 학점이 4.3 내지 4.5가 만점인 것과는 달리, 미국대학은 4.0이 만점이다. 그래서 3.0 이상이 되면 일단 성적이 좋은 걸로 쳐준다.

　각 계열대학마다 기준이 다르지만, 내가 속해 있던 인문과학대의 경우 캠퍼스에서 가장 많은 전공과를 포함한 대학이라 그런지 3.0 이상의 성적을 가진 대상 학생에게 학위논문을 써서 통과하면 Cum laude 우등상의 기회를 주는 제도가 있었다.

　전체 우등상의 기준 성적에서 간발의 차이로 떨어지게 된 것을 안타깝게 여긴 친하게 지냈던 교수님이 '이러한 제도가 있는데 한 번 도전해 보겠냐' 하며 넌지시 물어보았다. 교수님은 3학년 수업 때 만나 수업이 끝나고도 종종 찾아 뵐 정도로 친하게 지냈다. 다시금 우등상을 받을 수 있다는 생각에 바로 도전하겠다고 대답하였다. 쉽지 않겠지만 그만한 가치가 있었다.

　며칠 후, Office hour에 교수님을 찾아간 나는 청천벽력 같은 소리를 듣게 되었다. 내 논문작업을 봐줄 수 없다는 것이다.

무슨 말인지 어안이 벙벙해져 있을 때 교수님은 'supervisor 교수가 내가 논문 쓸 능력이 안 된다며 논문 지도를 못 하게 막았다'고 알려주셨다. 기가 막혔다. 어쩜 교수라는 사람이, 그것도 supervisor가 내 앞길을 방해한다는 사실에 분노가 차 올랐다.

supervisor는 아이티에서 건너온 프랑코폰 (francophone) 교수였는데, 동시에 프랑스 문학 수업 및 언어학 capstone 교수이기도 했다. 유학 초반에는 나름 잘 지냈는데, 한 번 supervisor의 편파적인 수업 지도를 내가 이의 제기했던 사건이 있었고, 그 일이 있고부터는 supervisor에게 미운 털이 단단히 박히게 되었던 것 같다.

이 뿐 만이 아니었다.

이전에 국제보조 장학금을 신청하기 위해 supervisor에게 추천서를 부탁한 적이 있었고, supervisor는 흔쾌히 추천서를 써주었다. 뭔가 싸한 느낌이 났지만 쿨한 그녀의 행동에 감사하다고 말하고 추천서를 받아왔다.

장학금 신청 직전, 다른 교수님의 추천서를 받을 수 있게 되었고 supervisor 추천서는 신청제출 서류에서 제외하였다.

정신없이 하루하루가 지나가고 한참 후, 서랍장에 보관해 두었던 supervisor의 추천서가 생각이 나서 밀봉을 뜯어 읽어 내려갔다. 근데 내용이 참 가관이었다.

추천서에는 추천서의 내용이라기에는 disorgnized, undiciplined 등 최악의 단어들이 나열되어 있고 나에 대한 험담이 적나라하게 적혀 있었다. 참 황당하고 기가 찼다.

차라리 써주기 싫다고 거절할 것이지, 앞에서는 쿨한 척 행동하며 뒤에서 학생의 학업을 방해하는 supervisor의 행동이 전혀 이해되지 않았다.

언어학 capstone 수업도 마찬가지다. 사실은 난이도 높은 수업을 듣게 해서 어떻게 해서라도 학위 수여를 받지 못하게 하려고 했던 의도가 있었던 듯 싶다. 의외로 발표를 성공리에 마치게 되었고, 꼬투리를 잡을 수 없었던 supervisor는 맨 마지막에 내는 프로젝트 논문보고서가 미비했다는 핑계로 점수를 강등하여 B를 주었다.

이제는 하다 하다 다른 교수님의 학위논문 지도 편달까지 막아 어떻게든 나의 학업성취를 훼방하고자 한 것이다. supervisor의 악의적인 행위에 화도 나고 억울하기도 하였지만, 졸업을 앞두고 또다시 분란을 일으키기는 싫었다.

Cum laude의 기회는 그렇게 눈앞에서 날아가게 되었다. 속상하였지만 애써 그래도 지금껏 열심히 잘해왔다는 것만으로 스스로를 위안하며 다독였다. 세상일은 아무리 애써도 안되는 것이 있나 보다.

또다른 문! 인문과학대
장학생 선정되다

Cum laude의 기회가 날아간 일은 꽤나 상심이 컸다.

 그동안 맨땅에 헤딩하기식으로 수많은 도전을 하고 그때마다 결과가 좋았던 것에 대한 자만심이 있었는지, 사실 이번 일도 마냥 가능할 거라는 기대에 부풀어 올랐다가 시작도 전에 제지를 당하니, 있던 의욕까지 모두 사라지는 느낌이었다. 망할 교수님 같으니라고!

 졸업학기나 마무리 잘하자 생각하며 이메일 체크를 하는데, 학교 정기공지 메일이 도착해 있었다. 평소와 다름없이 열어보는데, 인문과학대 학생회에서 주최하는 장학금 이벤트로 인문과학대 학생 전체를 대상으로 장학생을 선정하겠다는 내용의 공지였다. 특이한 점은 하나의 주제를 정해주면 그에 대한 글쓰기를 해서 같이 제출해야 한다는 것이었다.

 하늘이 주신 기회인가? 게다가 인문과학대 전교생에서 뽑는다고? 내 안 깊숙한 곳에서 무언가 다시금 요동치기 시작했다. 비록 우등상의 기회는 날아갔지만, 단과 대학 전체에서 장학금을 받는다는 것은 다른 의미로 더 뿌듯한 성취감을 느낄 수 있을 것 같았다.

주제는 '효과적인 대학 생활과 성과를 내는 법' 논설문 형식의 에세이를 작성하여 제출하는 것이었다. 지난 3년간 수많은 에세이를 써오며 단련되어 있던 덕택에 논문 에세이 작성은 수월하게 써져 내려갔다.

한국 논설문과 달리, 영문 논설문은 처음부터 결론을 말하고 시작하는 것을 좋아한다. 그에 대한 논증을 뒷받침하고 다시 재결론으로 끝맺음을 하면 좋은 글로 분류된다. 나의 영어 글쓰기 전략은 항상 같은 포맷으로 이뤄졌었고, 이에 대한 자신감은 항상 있었다.

지원 마감이 끝나고 두어 달의 시간이 흘렀다. 항상 그렇듯이 일단 도전을 하지만 결과는 오롯이 나의 것이 아니기에 '되면 좋고, 아니면 말고'의 마음을 가지고 하루하루를 보내게 되었다. 되면 가문의 영광이고 아니면 아닌 대로 의미가 있다고 생각했다. 그래도 솔직히 왠지 잘 될 것만 같았다.

석 달 즈음 되었나, 이메일이 도착했다. 레터 앞 문구에는 'Congratulation, you have been nominated as...' 글씨가 적혀 있었다. 인문과학대 전교생 중에서 장학생으로 뽑히게 된 것이다!

흥분된 마음이 가라앉기도 전에 한국에 계신 부모님께 이 사실을 알려드렸다. 부모님은 뛸 듯이 기뻐하셨고, 수고했고 대견하다는 말씀을 연신 하셨다. 그간의 노력에 대한 보상을 받는 것 같아 그동안의 서러움이 한 번에 씻겨가는 듯 했다.

고교 시절 학교에서 자습을 하면, 무료함을 없애기 위해 항상 동기부여 문구를 다이어리에 써놓곤 하였는데, 헬렌 켈러 명언 중에 '한쪽 문이 닫히면, 또 다른 문이 열린다'는 문구가 있었다. 내게도 문이 닫히자마자 바로 인문과학대 장학생이라는 또 다른 문이 열린 것이다. 그때 그 다른 문을 보고 기회를 놓치지 않고 잡은 것은 지금도 일생일대의 행운 중 하나라고 생각한다.

밸런타인데이 날, 인문과학대학의 밤 연회에 초대받아 참석하였고 그곳에서 당당히 장학생으로 호명되어 대학 관계자들과 학생들에게 박수를 받았다. 초콜렛보다 더 귀한 장학금과 만찬 연회를 선물 받으니 하루 종일 기분이 두둥실 떠다녔다.

드디어 영어로 미국 현지 학생들과 경쟁해서 인정받은 순간이었다.

유일한 졸업생으로
단상 오르다

5월이 오고 마지막 파이널 기간이 도래했다. '이번 파이널만 지나면 이제는 모든 것이 드디어 끝나는구나!' 자꾸 설레는 마음을 붙들고 파이널 공부에 임했다. 4학년 수업은 역시나 난이도가 높아 시험도 쉽지가 않았다. 마지막 과목 파이널을 끝으로 모든 것이 끝났다.

학기가 끝나자 기숙사의 학생들도 하나, 둘 집으로 돌아가기 시작했고, 어느덧 기숙사에는 나랑 졸업을 앞둔 친구 몇 명만 남아있었다. 그래도 허전함보다는 설렘이 더 컸다. 졸업식에 참석하러 처음으로 부모님이 한국에서 오시기 때문이었다.

부모님과 미국 친척들이 당도하였고, 나는 부모님을 모시고 그동안 생활했던 기숙사랑 캠퍼스 전경 곳곳을 보여드리고 최애 장소인 Johnston 기숙사 식당에도 데려가 음식 시키면서, 그곳에서 친해진 직원들을 소개하며 학식도 같이 하였다. 아빠는 당신 딸이 씩씩하게 유학 생활을 잘 헤쳐 나간 것이 대견스러웠는지 만면에 웃음을 띠며, 여기저기 신기한 듯 캠퍼스 전경을 둘러보셨다.

이튿날 드디어 졸업식이 거행되었다.

졸업식 가운과 학사모를 입고, 강당 안으로 다른 졸업생들과 발맞춰 들어갔고 줄 서서 기다리며 조금씩 이동하는 중에 부모님의 목소리가 들렸다. 고개를 들어 위를 쳐다보니 부모님과 친척들이 손을 흔들며 사진을 찍고 있었다. 나는 손을 흔들어 웃으며 화답했다.

먼저 전공과가 불리고, 한 명씩 호명을 받으며 졸업생들이 단상에 올라가기 시작했다. 나와 미국 친구들도 자리를 서서히 잡기 시작했다. 복수전공을 한 탓에, 나는 두 언어학, 프랑스어 전공 중 하나를 택해 줄을 서면 되었다. 프랑스어 전공은 졸업생이 5~6명이었고, 언어학 전공은 아무도 없었다.

이 많은 학생 중에 졸업생이 겨우 몇 명 밖에 안 나오다니, 그때 졸업이 어렵다는 것을 새삼 실감하였다. 언어학과는 졸업할 학생 한 명이 더 있었는데, 무슨 사정인지 졸업을 유예하였다. 결국 언어학과는 단독생으로 졸업하게 된 것이었다.

이왕이면, 유일한 것이 좋겠다는 생각이 들어 언어학과 줄에 나 혼자 덩그러니 서 있었다. 프랑스어과가 불리고 classmate를 비롯한 전공자들의 이름이 한 명씩 호명되어 나갔다. 그리고 언어학과가 드디어 불리었다.

나는 강단 앞쪽으로 가서 차례를 기다렸고, 잠시 후 내 이름이 강단 안에 울려 퍼졌다. 수백 명이 있는 자리에서 앞에 나아가는 것은 지금도 생각하면 아직도 긴장되고 아찔하다. 단상에 오르자 여기저기서 박수 소리와 휘파람 소리가 들려왔다.

학장님 앞으로 나아가 학장님이 주신 졸업장을 받으며 악수하였다. 엄청 시끄러운 소리들 가운데, 학장님이 악수하면서 하신 말씀이 또렷이 귀에 박혀 들려왔다.

"축하해요. 당신이 언어학과에서 유일하게 졸업한 학생이네요."

행동 x 인생 터닝포인트 x
또다른 시작

졸업식을 모두 마치고, 부모님의 요청으로 그동안 유학하는 동안에 알고 지낸 친한 지인들을 초대하여 식사 대접을 하게 되었다. 프랑스어 전공 친구들, 한국 유학생 선후배, 기숙사 친구 등 다양한 국적의 지인들이 모였다.

아빠가 갑자기 앞에 나오시더니, 이내 자신의 말을 통역해줄 것을 부탁하셨다. 아빠는 잔을 들면서 한 말씀 올리겠다며, 그동안 우리 딸과 잘 지내서 고맙다고, 앞으로 여러분들이 가는 새로운 길에 항상 행운과 희망이 가득하길 바란다는 말을 끝으로 "Cheers!"를 외치셨다. 다들 즐거운 듯이 손뼉을 치며 Cheers를 따라 외쳤다.

인생 최고의 날이었다.

그날 저녁을 마치고, 부모님과 친척들은 호텔로 돌아가고 나는 Johnston 기숙사로 돌아왔다. 기숙사에서 사는 마지막 밤이었다. 내 유학 생활의 모든 것이 담긴 기숙사를 이제는 떠나야 한다는 사실이 실감이 나지 않았다.

마지막으로 밤 산책 단골 장소인 기숙사 근처 필드 트랙에 나가 한두 바퀴 걸으며 산책하였다. 밤하늘을 보며 이제는 다시 못 올 학교 전경을 담아두며 그렇게 홀로 산책하였다.

첫 유학 시절, 도서관, Johnston 친구들, 교환학생 등등...

이곳에서 3년이란 길다면 길고, 짧다면 짧은 기간에 무수한 일들이 생기고 지나간 것이 순식간이라는 생각이 문득 들었다. 하지만 후회가 없는 만큼 미련도 없었다. 그만큼 3년의 세월은 치열하게 부딪히며, 또 그 안에서 즐기며 해보고 싶은 것을 나름대로 다 실현해본 삶이었다고 자부한다.

어릴 적 영포자였던 내가 무모하리 만치 그냥 무작정 미국에 오며 유학을 하고, 그 와중에도 무사히 졸업까지 마칠 수 있었던 것은, 영어를 잘해야 하는 목적이 있었고, 그 목적을 향한 To Do List를 하나씩 다이어리에 적어가며 실행에 옮겼기 때문이다.

처음에는 안 될 것 같은 영어 문장도 매번 현지인들의 발음을 자세히 들으며 혼잣말로 수십 번 앵무새처럼 되새기기도 하였다. 그러고는 다양한 사람들과 소통하며 연습하며 조금씩 성장해 갔다.

적립식 통장처럼 영어 실력이 하나 둘 쌓이면서 어느 한순간 복리로 다가왔고, 도전할 기회 또한 하나 둘 씩 찾아 들었다.

지금에 와서 돌이켜보면, 유학 시절 나에게 온 모든 기회와 행운들이 일단 움직이고 행동했기에 가능한 일이었다. 3년간의 유학 생활은 내게 있어 인생의 터닝 포인트였다.

다음날 부모님과 나는 세인트루이스에서 시카고로 이동하였고, 그곳에서 부모님은 한국 행 비행기에, 나는 인턴십 건으로 뉴욕 행 비행기에 각자 몸을 실으며 작별 인사를 나눴다.

한 장의 막이 내리고 다른 막이 열리는 또 다른 새로운 도전의 시작이었다.

Epilogue

유학을 다녀온 지가 벌써 십여 년이 흘렀다.

졸업 이후, 뉴욕에서 인턴십을 마치고 비엔나에서 UN모의회의에 참여하는 등 다양한 활동을 하게 되었고 한국에 돌아와 각종 통·번역 작업을 하고 직장인 영어 회화 강사로도 활약하게 되었다. 영포자 시절의 나라면 전혀 꿈도 꾸지 못할 것들이다.

강사를 하면서 종종 수강생들에게 영어나 유학에 대한 고민을 상담해주기도 하였는데, 예전보다 해외여행 및 어학연수 등 영어에 쉽게 노출된 환경에 살고 있음에도 불구하고 여전히 영어에 대해 두려움을 가진 사람들은 많고 유학은 돈 있는 사람들의 전유물로 지레 포기하는 경우가 많다는 것을 알게 되었다.

하지만 십여 년 전의 내가 도전했듯이, 지금 시대를 살아가는 많은 영포자들과 유학을 꿈꾸는 사람들에게 정말로 원한다면 너무 망설이지 말고 당장이라도 무엇이든 시도해보라고 권하고 싶다.

There is a will, there is a way. (뜻이 있는 곳에 길이 있다)

사람은 간절히 무언가를 원하면, 원하는 것을 얻기 위한 목표와 의지가 생기고 계속 시도하고 깨지고 또 시도하고. 여러 번의 도전과 시행착오를 거쳐 점차 자신만의 노하우가 생긴다. 그렇게 길을 발견하고 만들어 가는 것이다.

삶은 항상 원하는 대로만 이뤄질 수 없다. 하나의 구간에서 성공의 가도를 달리다가도 다른 구간에 들어서면 예상치 못한 전개로 내달리며 고꾸라지는 일도 있기 마련이다. 그렇다고 미리 겁을 먹고 포기해 버린다면 앞으로는 아무것도 일어나지 않은 채 무의미한 상태로 삶을 살아갈 수밖에 없을 것이다.

나에게 영어는 인생의 동반자이자, 터닝포인트의 진원지이다.

처음에는 좋아하는 것을 더 잘하고 싶은 마음에 미국으로 무작정 떠났고, 목표가 생기고는 그 목표를 위해 유학을 하였고, 유학하는 동안 무수한 도전을 하고 깨지기를 반복하며 차츰 영어에 대한 실력을 쌓아가고 실패에 대한 맷집도 키워 나갔다.

영어를 잘하고 싶으면 주변 환경을 모두 영어환경으로 세팅하면 된다. 유학 가고 싶은데 돈이 없으면 저렴한 비용으로도 가는 방법을 연구하고 찾아내면 된다. 공부를 열심히 해서 장학금을 받고 대학원에 진학 한다든지, 원하는 과의 인정 가능한 학점을 미리 이수해둬서 3학년으로 편입하든지, 방법은 찾아보면 얼마든지 있다.

중요한 것은 확실한 목표설정과 중간에 꺾이지 않는 마음이다. 영어, 유학 그 어떤 것을 하든지 간에, 목표설정과

반복적인 시도와 연습은 꼭 성공을 위한 필수요소이다.

　본 책에 나오는 나의 좌충우돌 유학 적응기를 통해 독자들이 대리 경험하고, 그동안 마음속 깊이 꽁꽁 감춰두었던 본인들의 꿈을 하나씩 펼쳐보며 지금부터 작은 것부터 시작하고 도전한다면, 본 책의 취지는 충분히 달성한 것이나 다름없다.

　내가 영어를 통해, 유학을 통해 나만의 인생 변곡점을 맞이했듯이, 독자들도 자신만의 인생 변곡점을 맞이할 기회를 조만간 찾길 바란다. 찾아보면 본인에게 알맞은 기회는 무궁무진한 법이다.